科学新知系列

可怕的科学 HORRIBLE SCIENCE

艺术家的魔法秀

AWFUL ART

[英] 迈克尔·考克斯 原著 [英] 菲利浦·瑞弗 绘 孙璐 徐晓敏 译

北京出版集团
北京少年儿童出版社

著作权合同登记号
图字:01-2009-4306

图书在版编目(CIP)数据

艺术家的魔法秀 / （英）考克斯（Cox，M.）原著；（英）瑞弗（Reeve，P.）绘；孙璐，徐晓敏译．—2 版．—北京：北京少年儿童出版社，2010. 1
（可怕的科学·科学新知系列）
ISBN 978-7-5301-2384-3

Ⅰ．①艺…　Ⅱ．①考…　②瑞…　③孙…　④徐…　Ⅲ．①艺术—少年读物　Ⅳ．J-49

中国版本图书馆 CIP 数据核字(2009)第 195945 号

可怕的科学·科学新知系列
艺术家的魔法秀
YISHUJIA DE MOFA XIU
[英] 迈克尔·考克斯　原著
[英] 菲利浦·瑞弗　绘
孙　璐　徐晓敏　译
*
北京出版集团
北京少年儿童出版社　出版
（北京北三环中路6号）
邮政编码:100120
网　址：www . bph . com . cn
北京少年儿童出版社发行
新华书店经销
北京雁林吉兆印刷有限公司印刷
*
787 毫米 × 1092 毫米　16 开本　11. 5 印张　60 千字
2010 年 1 月第 2 版　2023 年 1 月第 36 次印刷
ISBN 978 - 7 - 5301 - 2384 - 3/N · 172
定价：25. 00 元
如有印装质量问题，由本社负责调换
质量监督电话：010 - 58572171

目录

鸭子，过来！多可爱的鸭子！

关于艺术

当你看到各种糟糕的颜色，凌乱地出现在老师的领带上时，你问过自己吗……

那些令人兴奋的艺术图案，是依据行为艺术家杰克逊·波洛克的作品绘制的，还是老师用餐时将领带弄得脏乱不堪？

艺术是可怕的，不是吗？有时，它是莫名其妙的、令人愤怒的、使人困惑的、引起恐慌的……好了……是难以置信的怪诞！偶尔，它也相当地惹人厌烦（如果你很容易受惊或还没有长大，请不要读这本书）。另外，在这个领域还有很多可笑的人和事，绝对刺激和有趣！

在最近的一次民意测验中，相当一部分学生表示，他们喜爱艺术的程度远远超过那些众所周知、枯燥乏味的课程。在一次关于艺术的讨论中，许多孩子说出了同样的话，他们希望能更多地了解这个迷人的科目。一些人甚至问出了有趣而生动的问题，比如：“谁是第一个艺术家？艺术是为了什么？你怎么能够证明什么是真正的艺术？艺术家像什么？”以及“我们也能通过艺术赚钱吗？”

总有一两个人承认对艺术历史的了解存在着令人尴尬的知识空白……

这本书会告诉你这些问题的答案。它还会告诉你一些其他的，或许是你不知道的、关于艺术的有趣故事，比如……

▶ 世界著名艺术家帕布洛·毕加索怎样因一根香肠而备感沮丧。

▶ 雕塑家约瑟夫·诺肯斯为什么从来不换他的内裤。

▶ 艺术家马克·奎恩用自己的9品脱鲜血做了什么，并且……

▶ 画家安·路易杰罗德特德·特里奥松画画时将蜡烛粘在哪里。

这本书或许还能让你明白自己是不是适合成为艺术家……告诉你为什么一些艺术家会转瞬间名利双收，而另一些却身价骤跌、贫困潦倒。

如果我们把所有关于艺术的故事都告诉你的话，这本书至少会像一个多层停车场那么大——而且我们也不可能全部读完它。因此在舍弃了数千个故事后，这本书仍然保留了以下内容：

▶ 连校长都不记得了的关于艺术古老而迷人的事实真相！

▶ 看电视新闻都无法获取的关于艺术的最新（和离奇）动态。

▶ 艺术家的作品如此可怕和令人震惊，以致引起了一场骚乱。

▶ 狡猾的骗子、绝妙的发现、注定失败的拙劣画匠、幸运的怪人和真正的天才。

▶ ……和苹果的会晤！

所以……如果你想知道哪位艺术家喜欢用卫生卷纸做素描簿、哪位艺术家用鞋油染头发、哪位艺术家想在一只鸭子的身底下放炸药——快来读这本书吧！

不会令你失望，你将发现所有的一切多么有趣！

艺术远离了令人恐怖的开始

地点：法国某地的一处洞穴

时间：15 000年以前

猿人爸爸一边打着嗝，一边用猿人妈妈的兽皮围裙的一角擦着手。“亲爱的，这点猛犸肉太好吃了！多么鲜美，多么松脆！不要去追杀野生动物，这样会令它们濒临灭绝，事实将会证明我的正确！”

“但是，爸爸！”猿人爸爸和猿人妈妈的23个孩子中最小、最聪明的亚瑟抗议道，“所有的猛犸都是野生的！它们在自己喜欢的地方信步游荡，我们为什么要冒着巨大的生命危险去捕获它们？”

“是吗？”猿人爸爸问，疑惑地挠着大猩猩一样的头盖骨。

“当然是这样！” 被家族其他成员认为无用而懦弱的亚瑟说。他暂停了一下，然后继续补充，“虽然我确信一个时代将要

到来，那时这里将会有一个猛犸农场，用一种专业方法，我们可以任意宰杀猛犸……但是这些不会发生在我们这个时代了，爸爸。”

猿人爸爸听了这位聪明儿子的言论后，深感困惑，高高的眉骨愈加突出了。

“我从来都没有想过这些。”他边说边将一只从他那长毛的胸部慢慢爬出来的大山虱吃了下去。

“那是因为你的脑袋没有我的大，”亚瑟说，“我是你的儿子，因而我比你更进化。”

“我们并不在树上……我们在山洞里！”猿人爸爸疑惑地说。

“一个落伍的傻瓜！”亚瑟嗤之以鼻。

“不要对爸爸如此无礼！别总是胡说八道！”猿人妈妈厉声训斥亚瑟，并且用鹿腿骨狠狠打了他一下，“你越大越狂妄了！把吃剩下的东西打扫干净，我们要去篝火边了。”

其余的猿人家族成员从吃饭的地方走开了，聚集在火堆周围，留下亚瑟清理杂物。很快，他们完全沉醉在摇曳着火光的夜色中，一些猿人还发出了轻微的鼾声，睡眼蒙眬中看见的是一张张似曾相识的脸。在山洞远处的角落里，敏感而善于思考的亚瑟厌烦了那乏味的收拾东西的工作，他开始愤怒地用一根做杂活用的猛犸骨用力磨刮山洞的岩壁。不久，他觉得这是一种用来发泄不满的非常好的方式。

大约半个小时过去了。

“这孩子做什么呢？”猿人妈妈自言自语道，“将那些猛犸骨头清理干净，难道需要花费这么长时间？我得去看看他在忙活什么？”

猿人妈妈慢慢地走向亚瑟，当她靠近时，看见了一个令人毛骨悚然的景象。猿人妈妈吓得开始尖叫，在她恐怖的叫喊声中，全家人都警觉地朝小亚瑟望去，在看到那个可怕的情景后，也被吓得蜷缩在洞穴的角落里低声惊呼。

难道当所有的猿人家庭成员围在火堆旁尽情享受夜色时，一大群毛茸茸的猛犸闯进了他们的洞穴！现在，他们明明看到这些巨大的兽类正围着小亚瑟跳跃翻滚，而亚瑟却毫不畏惧手里拿着一根猛犸骨，悠闲地坐在那里！

猿人爸爸第一个开口说话。

"快……快……快把这些野兽赶出去，亚……亚瑟！"他结巴地说道，"在它们把我们全部踩死之前。"

"但是，爸爸，它们不是真的，"亚瑟说道，"它们是我刚刚创作出来的。"

"它们当然是真的！我都看见了！"猿人爸爸叫喊着，"它们有长长的牙，有四条腿，还有其他一系列的东西，它们肯定是真的！赶紧拿一个长矛来，在它们冲向我们之前杀死它们。"

猿人妈妈仔细地打量这些巨兽，突然，她意识到这些并非是真正的猛犸。

“等会儿……静一静，你这个胆小鬼！” 她对发抖的猿人爸爸说。然后，转向她的儿子，问道：“如果它们不是真的，那它们是从哪里来的呢？”

“我刚才告诉过你们，我创造了它们……用这个！”亚瑟边说边自豪地举起那根尖利的猛犸骨，“看！很容易，我演示给你们看。”

亚瑟用熏黑的骨头做了几个熟练的动作，像变魔术一样，又一个慢跑的猛犸奇迹般地出现在山洞的岩壁上。全家人都倒退两步，吸了一口冷气。猿人妈妈兴奋地看了丈夫一眼，说：“你知道这意味着什么吗？”

“我明白！”依然在发抖的猿人爸爸说，“如果他不赶紧停止，我们将满耳都是猛犸的吼声！”

“不，不是那样，你这个傻瓜！”猿人妈妈说，“这是我们的儿子，我们的艺术家。他能神奇地凭空创造猛犸。就是这样！”

带着尊敬和疑惑的表情，猿人妈妈对她那咧着嘴笑的儿子说：“你能创造出犀牛吗，艺术家？”

“我不敢肯定，妈妈，”亚瑟说，“但是我可以试试。”

亚瑟的才能迅速显现出来，他画了许多像是在山洞岩壁上奔跑的动物，甚至还将作品涂成彩色，看起来更加栩栩如生。

部落的长老对亚瑟的神奇技艺印象颇深，于是决定单独辟给他一个山洞，让亚瑟能够将心中的想象表现出来，像变魔术一样创作出熊、牡牛和毛茸茸的猛犸。这个山洞简直成了艺术画廊，并且很快名扬四方。岩壁画满了可怕的或美丽的图像，但多是一些猿人部落赖以生存的巨大野兽。

越来越多的人听说了亚瑟超群的艺术天赋。石器时代的妈妈和爸爸们开始带着孩子来参观这个画廊，让他们欣赏亚瑟的创作，学习这些动物的相关知识，以期望在将来的某一天，这些孩子也能自己去绘画——（这是绝对有希望的）亲自敲开艺术之门。当这些远古时代的孩子敬畏而迷茫地盯着这些画时，他们的父母总是说："这些是精彩的艺术作品——难道不是吗？艺术有一种特殊的魅力，一定要带着崇敬的心情去欣赏它！"

这就是艺术如何受到尊敬，并且在那个远古的时代如何扮演了一个重要而有用的角色的开始。

罗伯特历险记

地 点： 法国同样的地点

时 间： 15 000年以后……1940年9月

* 为了得到一种真实的感觉，对话用的是原来的法语。你也许需要一位翻译……

他发现了一个巨大的、黑暗的地下洞穴——一个又湿又黏的东西在他的手背上滑行！

啊！什么东西？
呜！呜！

哎呀！原来是小狗用舌头在舔我的手！太好了，这里是安全的！下来吧，弟兄们……要不你们承认自己是胆小鬼？
呜！呜！

其余的3个孩子也都爬进了这个洞……

太神奇了！在这里捉迷藏不错！

但是太黑了！我觉得有些害怕！

我也是！我们回家去拿一盏灯吧！

孩子们回家了，几天以后他们又回到这个洞穴，这一次，他们带了一盏油灯。

好好看看！
太令人惊奇了！

山洞的岩壁上雕满了动物的画像，有一些非常巨大，其中的一头公牛足有17英尺长！

太漂亮了！但它们是什么时候被画上去的呢？
不知道。我们应该去请教拉沃老师！
汪！汪！

拉斯科档案

1. 拉斯科山洞壁画因其神奇、令人畏惧而被人们称为世界第八大奇迹。

2. 这些绘画被发现时看起来就像刚画好的一样，还很鲜艳和清晰。这是因为山洞的原始入口（就是史前“艺术家”使用的洞口）被一块落下的岩石堵住了，加上洞顶厚厚的泥土层，使绘画免于潮湿和骤冷骤热的侵蚀，得以完好保存。另外，还有一层透明的矿物质覆盖了这一切——就像把绘画密封在一张巨大的保鲜膜下，这具有绝佳的保存效果。

3. 拉斯科山洞被挖了一个人造的入口并且装了电灯。兰维达和他的同伴们现在都已经长大了，被聘来做成千上万的山洞参观者的向导。

4. 这个山洞开始变得闻名遐尔，很快，每天有2 000多人来这里参观……接着……灾难降临了！在这些画在至少被完整保存了14 000年以后，开始变得模糊不清。专家们很快意识到游人们的呼吸以及光线与温度的改变，将导致世界第八大奇迹从人们眼前消失。他们很快采取了一些严格的保护措施。是什么呢？你会选择下面哪种方法来解决这个问题？

a）关掉所有的灯，请所有的参观者屏住呼吸，来想象画的模样。

b）做一个与整个山洞尺寸完全一样的复制品，让公众来参观它。

c）永远关闭这个山洞，让参观者看一本有照片的书。

答案

b)。来自世界各地的艺术爱好者对关闭这个山洞深感失望，于是人们决定用电脑和现代材料造出完全一样的复制品。他们用钢筋、金属网、煤渣砌块和混凝土建造了一个地下的复制品。雕刻艺术家们按照最接近原物的尺寸复制了山洞原来的样子，用黏土覆盖了建筑物的内墙。

绘画艺术家们用在附近能找到的矿物颜料按原样绘制了动物。人造的“拉斯科”于1983年面向公众开放。原始的拉斯科是令人叹为观止的，但第一次进入这个复制的山洞，所有的人都感觉就像进了真洞一样。你会说它是世界上最大的、最宏伟的、最成功的艺术复制品。现在每年有30多万人到这里参观，如果你想在夏季参观，还需要提前几个月预订。

史前绘画的事实真相

1. 世界上到处都有史前的、古老的艺术遗迹。自从人类能够攥住一节烧焦的木头或骨头，在驯鹿的角上刻画出一些图案（假设鹿角已经被从鹿身上取下），人类就一直在创造艺术。

2. 在法国南部和西班牙有许多真正的山洞壁画被发现，毫无疑问，仍然有许多壁画等着被洞穴探测狗发现。遗憾的是，很可能还有更多的山洞永远也不能被发现，因为它们可能已经被落下的泥土和岩石所填满。

3. 在距离拉斯科非常近的一个山洞里，有大约120幅猛犸的绘画，（这或许是我们第一个故事里提到的山洞？）它被称为猛犸山洞，由于藏在地下非常之深，因此人们建造了一条电的轨道系统来运送参观者。最初来这个山洞的艺术家们沿着数英里的地下隧道，用自己的方式来到这个遥远的洞穴（他们还能指望火车的到来吗？）。为了在黑暗中照明，他们用在动物油脂里浸泡过的苔藓制造了灯（或者吃了大量的胡萝卜）。当困难和危险降临的时候，他们曾使用草和藤制造的梯子逃生（或者干脆摔下来）。整个过程无疑非常惊险，尤其是在冬天当山洞里有熊冬眠的时候。

4. 猛犸山洞自15世纪开发以来一直非常有名，从那以后，来

自不同时代的胡写乱画者在原始山洞壁画上也留下了他们的涂鸦之作。

5. 在法国南部的塔尔恩峡谷，童子军们被请来从事一个“清洁涂鸦运动”。这些孩子们对这项工作甚至有点过于细致和热心。他们刷洗掉了所有能够发现的东西——包括两个15 000年前创作的稀少而无价的史前野牛的壁画。

6. 在许多洞穴的墙上，紧挨着壁画的地方都有手印的轮廓。研究洞穴艺术的人们不能领会它们的确切含义，因此这些手印被认为可能是作者签名的一种方式。在一个洞穴的墙上，还留下了一个人的脚印。没有人敢肯定这个艺术家想表达什么！或许它只是信息的另一种表达方式？

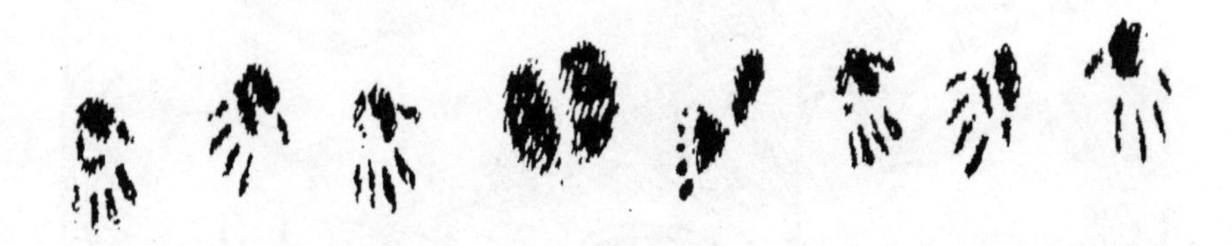

7. 西班牙阿尔塔米拉的洞穴壁画也是被一只掉进一个洞里的狗（不是罗伯特，是1830年的另外一只狗）发现的。这只狗是在追赶一只狐狸的时候掉进了洞穴的陷阱，它的主人在5岁女儿的陪伴下沿着一个地下通道紧跟而来。这个地下通道的顶非常低，以至于女孩的爸爸必须一直低着头，但是小女孩却可以抬起头向上看。她被满洞顶的绘画惊呆了，开始她以为画的是公牛，后来这些“牛”被认定为是史前的野牛。

人们不相信狗主人所说的关于壁画的事情，当地的教授也谴责他被赝品制造者利用。后来，这些画最终被确认为是在几千年前创作的——看来专家并不总是对的。

8. 史前艺术家不仅是壁画艺术家，也是雕塑家。考古学家发现了小的野牛、猛犸和人像的雕塑作品。

9. 史前艺术中的一个最大的谜团就是被称作斯通亨治的巨石（至今无法肯定这些巨石为什么会生成——译注）。一些专家认为这些石头是原始人举行异教节日（或是舞会，像我们今天所知道的）的遗址。

创作自己的洞穴壁画

在你能成功创作洞穴壁画之前，必须要端正思想。也就是说“要进入状态”。这需要一个相对漫长的过程。首要任务是用几天的时间，来消除人类身上20 000年以来进化和文明的痕迹，为自己培养新石器时代捕猎者的习惯和个性（毫无疑问，这些对你而言易如反掌）。

回归原始——一个便于操作的提示

1. 在最近的3天里不要洗脸或吃饭。养成穿兽皮的习惯（当然首先要检查一下，兽皮已经不在动物身上了）。

2. 步行去学校时，在人行道上练习屈着膝盖走路，并朝经过的机动车叽里呱啦乱叫，对行人怀疑的目光嗤之以鼻。

3. 假装不明白老师说的话（你的意思是什么？“新”是什么意思？）。

4. 上课时不要坐在课桌旁——要坐在书架或书柜的上面。如果老师训斥你，不要答理他，只是撇着嘴用威胁的口气朝他咆哮。

5. 早操的时候，要求朋友寻找你所披兽皮上的虱子……

6. 睡在床下，而不是床上——给电视上的新闻主持人送水果——偷偷接近送牛奶的人。

感觉像原始人了吗？好极了。现在还必须要为创作绘画找一个合适的地方。显然山洞是最理想的选择，假如你找不到，下面的这些替代物也可以：

a）地下室。

b）一个废弃不用的狗窝（时刻提防着那条被抛弃的狗！）。

c）花园的棚子。

假如没有这些可以利用的东西，为什么不去找一块旧木头并且用超厚的混合物盖在上面？什么混合物？继续阅读来寻找答案吧！

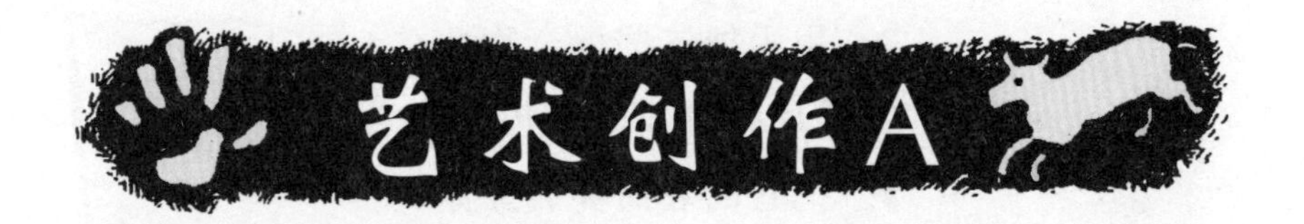

如何制作超厚的混合物

你能在一块被弄得粗糙不平的硬质纤维板或胶合板上，用超厚的混合物制作一面山洞的墙。

你需要的东西：

- 2袋筛过的煤泥或盆栽植物的肥料
- 2袋粗沙
- 2袋水泥
- 1袋强力胶水
- 1个用来搅拌东西的旧勺或棍子

▶ 1个水桶或1个塑料容器

▶ 1个绘画刮刀或一个建筑工人用的泥铲

你必须做的：

▶ 将煤泥、沙子、水泥和强力胶加上足够的水混合在一起和成厚厚的一团儿。

严重警告——你接触这些混合物时请戴上厚橡胶手套！

▶ 用手把这些混合物抹在木板上，大约两公分厚。

▶ 把它的表面弄成像你所喜爱的山洞岩壁的形状。离开它直到自然风干为止！

▶ 接着，当你不小心弄在自己身上的混合物完全干了的时候，回到你的超厚的混合物前。如果它仍然湿着的话，继续准备你的……

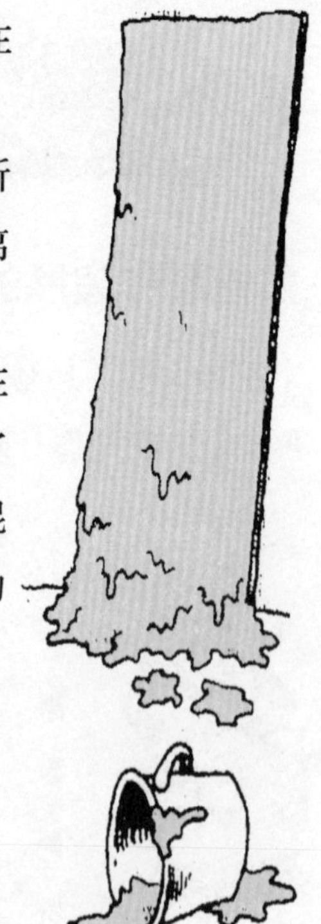

粉刷材料

洞穴人不得不经过实践去发现材料。他们经常在偶然的机会发现材料……像艺术用的烧黑的骨头。洞穴人可以用一点烧过的木头（碳）或碳化钙等原料勾画动物的形象。

假如你不想太冒险的话，你可以用普通的刷墙材料，但是要记住，你只能用红色、褐色、黄色和黑色，这样才能给你的艺术创作一个真正的原始山洞涂料的模样。如果你想用天然材料来做实验的话，就必须请一个大人来帮忙（最好是一个尼安德特型的……例如一个老师）并且——务必要注意安全。

颜料

艺术家们通常从地下挖掘出大部分的天然色彩，找到所需要的材料。这些最有可能的是绚丽多彩的石块，也就是你的“颜料”。当你已经找到了一些讨人喜欢的多彩石块时，必须把它们磨成粉末（不要用家里的食物研磨器）。

实际上，真正能够用的颜色非常有限。为了增加你调色板上的新颜色，可以将一些粉末混合在一起加热，直到它们呈现一种新的色彩。今天，“被加热”所形成的颜色一直还被画家们经常使用，这些被命名为烧黄土和烧棕土等，就像生黄土、生棕土、黄赭石、红赭石等原始土色一样都能够在艺术品用品店买到。

艺术家也可以通过挤榨植物的叶子、茎和果实获得颜料（但这些颜料褪色得非常快）。

媒介……或介质

你需要用一种媒介混合你的颜料，否则你会发现它们难以运用。它们不能粘在你作品的表面，艺术家可以用各种介质做实验，包括：

- 水
- 一种从动物身上提炼的胶
- 自己的唾液
- 自己的尿（并不赞成用！）
- 从骨头中间提取的油脂骨髓，融化它（哇——真香呀！）
- 血

用你所选择的介质混合颜料。

警告

当你做这些时，不要心不在焉舔你的手指！切记，切记！

史前的颜料容器

你需要一个东西保存颜料。史前全世界范围内应该都没有酸奶盒，因此画家们用动物的皮革制成的袋子、贝壳和一端被堵住的空骨头装颜料。如果你不能找到其中任何一种的话，为什么不试试……哦……酸奶盒？

运用这些颜料

如果你观察史前的绘画作品，你会发现它们周围几乎没有任何颜料污渍，这告诉我们艺术家和他的同伴并不热衷于用手指绘画（或许他们认为那太原始了！）。他们更愿意运用下面的这些东西涂抹颜料：

- 羽毛
- 用动物的皮制作的板刷
- 扎成束的树枝——艺术家咬烂树枝的末端制成一把粗糙的刷子
- 獾、狐狸的毛……或者山洞人（是山洞人的毛发，而不是山洞人！）……粘在棍子上

你可以用人的毛发试着做你的画笔（你父亲刮掉的胡子一类的东西）。

画什么

你的画板和颜料都准备好了，现在……要画什么？好了，你能够：

- 想象一下你自己的史前场景

▶ 模仿一张洞穴壁画的照片

▶ 用史前风格绘制一幅包括许多20世纪的高科技的画（例如计算机和激光），然后把这些埋在地下……彻底迷惑将来的历史学家

史前艺术家为什么创作山洞壁画

太多太多的理论被用来解释山洞壁画的存在，它们中的一些还相当肯定。但是没有一个人能够证明他们的独特观点是完全正确的。史前的人们不曾留下任何有关艺术的文字记载（如果他们留下的话，他们还是史前的人吗？）。即使把你放进时空穿梭机，让时光倒流，去问问山洞绘画艺术家为什么这么做？很可能他们也不敢完全肯定创作这些画的动机，除非像……

俱乐部这个大块头的家伙让我这么做的，否则他会揍我！

已经被提出解释山洞壁画存在的各种各样的理论：

1. 史前的人们主要是食肉者，并且依赖这些动物为他们提供食物和衣服。史前时代可能没有严格的食谱。因为我们还没有人发现一个画满汤菜、花菜和胡萝卜的山洞。也许画了这些动物，将会鼓励它们繁殖，这样你将永远拥有牛肉汉堡、鹿排和猛犸毛衣。

2. 猎捕者对动物们有一种感情，这些图画表达了对猎捕和杀死这些动物的一种歉意。

我确实喜欢并且尊重你们，但如果我不杀死你们的话，我和我的家人就会饿死。你介意我割断你的喉咙，直至死在我的石斧下吗？

3. 人们认为动物在某种程度上神圣而特殊，将它们画出来以表达敬意。

4. 人们不擅长画不熟悉的任何东西，所以不得不画些生活中常见的东西。

5. 那个时代的人们没有文字，所以绘画就是给后代留下记录、讲述故事的唯一方式。有的绘画包含了人类的形象，这可能是通过卡通画的形式向整个部落表彰英雄的行为，就像拉斯科山洞看见的绘画一样。

6. 这些绘画给了猎捕者力量，以使他们在猎捕时不致看见动物而逃跑（如果猎捕者和动物互相看见就同时逃跑的话，这很明显不利于猎捕，而且看起来非常傻）。

小结

创作山洞绘画的原因可能将永远是个谜。你可能还会问：

▶ 为什么有些人会在令人厌烦的数学课上，在坐在前排的同学的脖子上乱写乱画？

▶ 当我们用3个夹纸的回形针和一些旧的弹力内裤在邮政中心大楼做蹦极跳的时候，为什么要摸一下木头，来保佑自己？

▶ 为什么水暖工在蔬菜地里独自修理管道的时候，要吹着不成调的口哨？

没有人真正知道。有时人们会做一些古怪和令人费解的事情……艺术肯定就是其中之一。

寻找艺术——亲自看看这些艺术品！

艺术和它同时期作品——洞穴壁画《从韦泽尔山洞来的动物们》坐落于法国的多尔多涅区周围，德国（雕塑品）——图宾根大学，德国。

《奥林多夫的裸女》，奥地利（较小的女人形体雕塑）——收藏于奥地利维也纳艺术博物馆。

古怪的艺术家

山洞壁画的绘画者是一些古怪的人，不是吗？不过——如果他们不是如此有个性和富于想象力的话，很可能就不去费工夫绘画——这个世界上也将错失这些伟大的绘画作品！

你有艺术家的气质吗？

纵观整个历史，艺术家们常被认为有点与众不同。他们是有创造性的人，艺术家身上有一种东西，大概就是人们常说的“艺术气质”。或许，你就是其中之一！回答下列问题，看看你是否能成为艺术家。如果答案为“是”，你就打个“√”——一个“√”就代表一份创造力——不要骗自己哦！

1. 你是否曾经感觉：

a）喜怒无常　b) 自私　c) 冲动　d) 缺乏自我控制力

e) 喜欢与人争论　f）被整个世界无情迫害

2. 在你生活中的某个时刻是否曾经有无法抗拒的冲动：

a) 自己打自己的头

b）恶狠狠地对待一棵树

c）耻笑别人的袜子

d）留特长的胡子

e）穿着很久不洗的衣服出门
（换句话说至少10 周)

3. 你是否曾经：

a）完全沉迷于一种对你不好的东西

b）浑身恶臭

c）不愿遵守规章制度

d）想通过怪异的行为或衣着，吸引别人的目光

e）心不在焉

得分

如果你得了：

15分：马上……寻找帮助！

12—15分：祝贺你！你具有令人骄傲的艺术家气质（如果你不想得这么多分——但是你已经得了，也只能这样了！不……不……你不可能成为像你妈妈那样合格的管家了！你太离奇古怪了）。

8—12分：你是一个介乎两者之间的典型例子。你可能成为一个创造性的天才，另一方面，你或许被证明是一个彻头彻尾令人讨厌的人！

1—8分：真不走运。你不具备足够的艺术家气质……你太一般了。

1分或者更少：天哪！你太沉闷乏味了，不是吗？你是否想过成为一名合格的会计师？

艺术家这个行当似乎总伴随着各种各样古怪的性格和行为。艺术家们一开始就是怪人，还是原本为正常人，但后来被工作弄得疯疯癫癫的呢？毕竟，当事情不能按照原来的计划发展的话，艺术家们总会非常沮丧，于是做一些看似荒诞的事情，就像法国的印象派代表人物克劳德·莫奈（1840—1926）。莫奈热衷于画大自然——但是有时——大自然并不会表现自己……

如果开始你没有成功……摘掉这些新叶子！

莫奈，一直在画一组冬天的野外风景（不——并不都在同一时刻）。这个地方在一个非常美丽和壮观的山村旁，还有一棵橡树和一条河。然而，事情的发展并不顺利……

莫奈日记

第一周：我被棘手的天气耽搁了（事实就是这样！）——但愿我不再如此烦躁不安。我根本就不喜欢这些画，我想毁掉所有的画重新开始！

第二周：可恶！天一直在下雨。我的画看起来灰蒙蒙的，但我必须挺住……毕竟，我是一个艺术家。

第三周：太可恨了！天又在下雪！我可爱的画的颜色都错乱了。

第四周：雪停了，但……河水又涨了——变得混浊，颜色也不对了。

第五周：云彩……太阳……又是云彩……又是太阳……天太亮了……天又太暗了……又太亮了！我都要疯了！

第六周：事情变好了！天气太可爱了——可是，又怎么了？河水的颜色又变了！哦……别再变了！这次它又干了！

第七周：最后，所有的事情都好了！今天我将画这棵光秃秃的大橡树！等一等！树在哪里？谁偷走了光秃秃的橡树，把一棵长满了叶子的树放在这里？我只不过刚刚调好调色板而已！

莫奈远远落后于绘画时间表，当他与变化无常的天气苦苦斗争的时候，春天悄悄地来了，橡树上长满了叶子。冬天的风景画中，光秃秃的树是主要特征。因此——你认为莫奈下一步会做什么？

1. 他生气了，砍倒了树，接着把树烧掉。然后，他将画笔扔进火焰，围着火焰跳舞，高唱“艺术滚吧”，接着，回到巴黎，成为一名职业足球运动员。

2. 他摘掉了树上所有的叶子，吹着口哨说道：“你不能阻碍伟大的莫奈，滚吧！”

3. 他不再画冬天，而改为画春天的风景。

答案

2。(好……接近)

莫奈找到村长，请求他摘掉树上所有的叶子。

两个当地村民带着梯子，花了两天时间，摘光了树上所有的叶子。莫奈得以完成他冬天的风景画(然后，这些人们还会把叶子粘回去吗？)。

或许荷兰艺术家文森特·凡·高（1853—1890）比莫奈的生活更加失意。凡·高活着的时候，大多数人并没有认识到他非凡的天才，而是认为他根本就不会画画。而他的哥哥西奥说，凡·高将会和贝多芬一样出名，人们迟早会认识到他是一个天才。西奥的预言变成了现实。如今，凡·高被认为是一个天才，同时他的古怪行为也一直被人们记忆犹新。

在蓝色、红色、绿色、黄色的角落……文森特·凡·高

这是一位98岁的老人描述他看见凡·高来到他家附近的村边画画的情景：

我过去时常看见他用膝盖支着双手遮着眼睛，然后身体从一边晃向另一边，头也随着摇晃。一些人认为他是疯子……但我明白这是为什么！

多么奇怪的画画方式！凡·高究竟想怎样举着刷子……如果他的手捂着眼睛，又怎样看要画的物体？

哦——这些并不是凡·高绘画的技术——而是他古怪习惯的一种（或许这是他绘画前的热身运动，就像拳击运动员在比赛运动前的击拳练习一样？为什么不在下一次的艺术课上也这样试试？……或者干脆劝说老师，让全班同学都这样做。一定相当有趣！）。

这个老人（当时他还是一个孩子）真的见过凡·高作画。老人这样描绘艺术家如何脱光衣服绘画——凡·高仅仅穿着内裤、戴着一顶草帽……嘴里叼着烟斗！

老人说凡·高会坐下来盯着这幅画看一会儿，然后跳向它，好像要袭击画一样（弗兰克·布鲁诺开始接近艺术了！），接着再迅速地画两三笔，又坐下来（令观看者都感觉疲倦地画满空白画板！）。这听起来更像是一般的技巧，不是吗？但结果却是意想不到的！

认识凡·高的每一个人都说，他生活和工作在一个乱糟糟、臭烘烘、毫无秩序可言的环境中（真的有点像10岁男孩的卧室）。他常从哥哥那里借来好衣服，然后胡乱地扔在地板上，和他脏脏的画笔、湿湿的画板混在一起，甚至用西奥干净的短袜擦他的画笔，这导致了兄弟间的一场争吵（尤其是西奥碰巧正穿着袜子！）。

凡·高是一个敏感而情绪化的人，但他总是自己调整情绪、解决麻烦，而不迁怒于人。一天，凡·高非常不高兴，因为和他一起绘画的好朋友保罗·高更弄丢了他的画笔。凡·高对高更弄丢他的画笔气急败坏，于是他割掉了一只耳朵（他自已的——并不是高更的！）。然后把耳朵给了女朋友，说……

生活中的凡·高是一个孤独而落寞的人，不画画时，他写了很多信给哥哥西奥，西奥一直鼓励和支持他投身艺术。信中并没有类似“画笔又脏了——寄新袜子来”的话。凡·高满脑子都是艺术，每一个读他的信的人都能感觉到，绘画就是他的一切——但非常令人遗憾，他活着的时候没有成功地卖出一幅他伟大的作品。

斯宾塞，一个不合时宜的人

斯坦利·斯宾塞先生（1891—1959）是一位英国的艺术家。他画了大量《圣经》中的风景，将这些风景和库克汉姆村庄的景色糅合，并且放一些普通人在画中，这些成为他作品的主要特征，风景画就这样被他带入了现代。像凡·高一样，有些人认为斯宾塞有一点古怪。这可能是因为：

1. 他喜欢用卫生卷纸做素描簿——这样是如此便利！

2. 他喜欢推一辆婴儿车。或许你认为这没什么特别——很多爸爸都推着孩子外出散步，不是吗？但是……婴儿车里并没有斯宾塞的孩子——车里通常放的是画笔、颜料、画架和油画

布，他运送这些东西到心爱的绘画地点！斯宾塞发现婴儿车的折叠车篷在突降暴雨时，能非常好地保护这些宝贵的绘画材料。

3. 斯宾塞不喜欢洗澡——生活中，他的房间只有一个冷水喷头。这或许是他看起来总是一身邋遢，脏兮兮的原因。

有时当斯宾塞出现在诸如豪华餐馆、美术馆此类地方时，由于他如此瘦小和衣衫褴褛，看门的人总不让他进去。

你不能进去，你这个可憎的小男人。你太小、太脏了，走开，等长大些再说……而且你必须立刻去洗个澡！

斯宾塞的画卖得很好，当他拥有很多钱的时候，被一个叫罗尔斯·罗伊斯的商人盯上了，这个商人希望卖给这个著名而富有的艺术家一辆超级新款汽车。但在这个商人真正遇到斯宾塞后，才意识到他并不是那种赶时髦的人，商人迅速地离开了。

斯宾塞在著名的艺术学校斯拉德被培养成为一名画家。他的成绩卓越，获了奖，并被通知参加一个在伦敦举行的特殊颁奖仪式。当他走出火车车厢时，一位高贵、优雅的绅士误以为这个邋遢的年轻人是车站搬运工，于是朝他吹了声口哨，说道：“搬我的行李！”

这位乐于助人的好小伙扛着绅士的行李穿过伦敦的大街小巷（当你遇到类似的情况，你也会这样做的，对吗？）。绅士给了他一点小费，然后他们便分道扬镳了。

颁奖仪式上，当他走上去领奖时，认出了那个给他颁奖的人，他被惊呆了……这个人就是前两天在车站要求斯宾塞帮忙搬运行李的人！毫无疑问，颁奖的人要比斯宾塞更加茫然和震惊！

“我将采用可能的长度令它精确！”

尽管像莫奈、凡·高和斯宾塞这样的艺术家，在生活和工作中有着不合常规的表现，可他们并不真正在乎别人怎么看。毕竟——艺术要放在第一位——并且这也是算计出来的……你认为呢？

18世纪的肖像画家托马斯·盖恩斯托伯勒（旧译庚斯博罗）用极长的画笔作画，以达到最佳效果——他用的画笔足足有6英尺长！为什么他要用这么长的画笔？

1. 他曾经是一个职业台球手，长长的画笔令他感觉相当自信。

2. 油画的味道令他难以忍受，这是唯一远离那些散发阵阵怪味的绘画材料的方式。

3. 在他画模特时，喜欢站在距离画板这么远的位置。

4. 他远视而且买不起眼镜。

答案

3。他以为富有和知名的人士画肖像为生，这是一种他用以保证比例绝对准确协调的技巧。

当不画肖像画时，他就画一些奇异的风景。这时他所用的方式相当不一般。盖恩斯托伯勒时常是将自然带回画室，而不是到大自然中去——有时他会带许多树枝到室内，甚至将一头驴拴在距离画架几英尺远的地方，以便他能够精致地描画它（会有聪明人和驴聊天吗？）。

如果能够的话，他将可能带全部的土地和森林进他的工作室，但这好像是办不到的，于是他为自己做了一些微缩景观以便临摹。

他增添了一些用泥土捏成的小动物。最后，点上一支蜡烛

一块玻璃代表河流和池塘
花椰菜代表正在长叶子的树
细枝条代表枯干的树干和树枝
石头和煤块代表着巨大的岩石
沙堆和泥土代表土地
青苔代表灌木丛

或一盏油灯在作品附近，以致在景物中能够创造出阳光和阴影的效果。

这种方式听起来是不是有点可笑——为什么不去创造自己的微缩景观模型，然后去画它，还可以用手电筒或电灯代替蜡烛——这样更安全些！

探询艺术家的真实面目是一件困难的事，因为他们时常离群索居并且几乎没有太多的朋友。啊哈！假如有人说，“每年应当有1000个艺术家被杀掉”而没有人反驳，你根本用不着惊奇。保罗·塞尚（1839—1906）就说过类似的话。他说：“我想用苹果打晕所有的巴黎人！”并且他也这样做了。他画了令人眩晕的苹果图案（加了一点别的东西）。与其我们问塞尚的伙伴他是哪种类型的人——不如看看他的典型事例之一。

一个天才的生活——苹果模特的记忆

我并不喜欢吹牛或别的任何事情，但是……我知道保罗·塞尚这位著名的艺术家，我是他喜爱的模特。事实上，我能肯定地说……我才是他眼中的苹果！你或许真的认识我，我是一大堆橘子和苹果中从左数的第三个苹果。那就是我，在巴黎著名的印象派画馆。

是的，我就是那个现在已经非常出名的静物水果画后面的苹果。我仍然记得塞尚把我从剩下的枝干上挑出来时所说的第一句话。

“哦……多么可爱的小球呀！”这就是他所说的。“所有自然界的惊人秘密和美丽就体现在你漂亮的曲线中。你看

起来好诱人呀……哈，哈……真好玩儿……我的小可爱！”然后他充满柔情地轻拍了我的底部……真令人不好意思！

整件事情起因于1895年一个炎热的夏日。在法国南部的普罗旺斯我们这些苹果挂满了枝头，在枝杈上晃动着，期待着商机，彼此赞美着多么美好、多么丰腴、多么具有贵族气质！

我们享受着温煦的夏日阳光，突然，看见一个红头发的人在果园角落被弄坏的篱笆墙下匍匐前进，他一边自言自

语，一边偷偷摸摸地四下张望。说真的……所有的苹果都被他一团乱草般的大胡子和粗野的眉毛吓了一跳。

“亲爱的，他看起来很有威胁性，是不是？”一个相当紧张的红苹果低声说，“我希望他不要把我摘走！”

“别紧张！他是保罗·塞尚，”邻近树上的一个梨子悄声说，“他是一个印象派艺术家。”

“哦，听起来很可笑，”一个傻傻的小苹果抗议，“他扮演了谁？拿破仑……维多利亚女王……或者在著名的音乐厅表演过？”

“不是那种印象派，傻瓜！”梨子厉声说，“他是一个画家，是人们常说的后印象派，实际上——他是一个值得尊敬的人……但唯一糟糕的是，他无可救药地迷上了水果。他不会让我们留在这里的！”

印象派　　后印象派

梨子是正确的。我突然感到自己被扭下来，落入了塞尚丝绒夹克的口袋，还有一些我的好朋友们。紧接着我们全部被带进了他的画室。

他开始在画架正前方的桌子上安放我们，但似乎总也不能摆放得很满意。

他不停地轮换着调整我们。

“总也不能看起来绝对自然……绝对的自然！”他不停

地说，甚至开始唱起来！（用的是勉强拼凑的音调，你相信吗？）

放水果碗在那儿，你的苹果在这儿。

你的牛奶壶在那儿。

然后整个移动它们。

哦，哦，球体，圆锥体和圆柱体！

哦，哦，球体，圆锥体和圆柱体！

一切都太好了！

当时，我还并不真正明白一切都太好了！但是现在——我理解了每一个单词！如果是你，你也会明白的，因为在100年的时间里，世界上每一个艺术奇才都站在你的肖像前面，称你为杰作，谈论塞尚所画的静物是如何的光芒四射！我依然记得，有一天，毕加索和他的同伴乔治·布朗克进来——在塞尚死后不久。

“塞尚是真正一流的绘画高手！”当毕加索赞美我们这些苹果时说，“在整个新世纪，当我们要做自己的事和画想要的东西时，他是一个鼓励我们疯狂的家伙。他根据球体、圆锥体和圆柱体所表达的每一件事物的形状，都是艺术的先锋和榜样……”

“……和立方体！”乔治加了一句。

“是的……并且它们。”毕加索说。

“那就是我们正在做的一切，毕加索！”乔治说，“画每一件东西，以致它看起来像立方体或别的。”

“哦，是这样吗……不是吧？”毕加索说，“我有主意了！为什么我们不称自己为立体派艺术家？”

“太好了！”乔治喊道，“虽然我不敢肯定是否它将流行。”正如你可能知道的那样，“立体派艺术家”的确开始在艺术界众所周知！对于我们苹果而言，那是另外一个故事了。塞尚画得相当慢，大约3星期后，我们开始变了模样，原先红润的脸色苍白了，可爱的棕褐色消退了……但是他仍然在描绘我们原有的形状！

我们觉得有些莫名其妙，难道他没有感觉到变化？我们是对的，他感觉到了！猜猜这个可恶的家伙做了什么？他只是用一些更年轻、漂亮的水果替代了我们！但这还不是最糟糕的！更加侮辱性的伤害是，他和那个彼尔·雷诺让我们这些老模特变成水果块，成为了星期天的午餐。哦，这就是艺术家怎么对待你的！该死的变化无常的家伙！我在画中的位置，从左数第三个……

塞尚所画的苹果（和许许多多其他的东西）的技法和形态，在此之前并没有人涉足过。别的画家一直努力让画中的苹果像真的一样，至少要达到他们能够做到的地步。于是用各种技巧和技术来做这些——例如极力修饰笔法，以致你觉得苹果就像在画中刚刚长大的，而不是用画笔和颜料人工创造的。

塞尚并不在乎你能否看出他画画的笔法，只是想让所画的东西看起来——的确非常有趣。你要明白，他的苹果是“画中的苹果”，而不是“和真的差不多的苹果”。塞尚对表现事物的形状、颜色及它们之间的联系更感兴趣，总想让画中的物体尽可能地协调——这也是他花费如此多时间和心血，来安排静物位置的原因之一。

那个时代的批评家们认为他的作品毫无价值。有人说：“这是艺术界15年来最大的笑料！”另外的人说：“赞成塞尚先生，就像可以去卢浮宫放火一样！”（卢浮宫可是法国的国家博物馆和艺术展览馆。）塞尚没能让他们改变自己的想法，继续用独一无二的风格绘画，这对后来的许多艺术家都产生了极大的影响。

尽管批评家们这样评述塞尚，但实际上他并不想烧掉卢浮宫——另外一个艺术家却认为这是一个好主意。

战争好极了！——烧掉博物馆！

塔玛拉·德兰陂卡和狂热的未来主义者

一些头脑发热的艺术家对于他们重大的新思想如此着迷，以致必须要立即付诸实施。波兰艺术家塔玛拉·德兰陂卡（1898—1980），就是这类冲动的女人——她不会让任何一件事阻碍行动。一旦决定要做某些事——就必须做！当时她和朋友们准备烧掉世界著名的卢浮宫艺术博物馆……哦……差一点！

德兰陂卡的朋友们是一群艺术家和诗人，被称为未来主义者，20世纪初时他们在一起集会。对于那个时代刚刚出现的摩登的、新奇的、令人兴奋的机械制品，他们都真正近乎狂热地喜爱——像木制飞行器——能够开得很快的汽车……1小时30英里！（是的，1小时30英里——绝对刺激的体验！）他们的英雄和领袖人物是一个叫马里奈特的诗人，他说一辆赛车比一幅过时而古老的杰作名品更有价值。（是的，他曾试图挂一辆法拉利跑车在卧室的墙上——根本没有能承受如此重量的钩子！）

马里奈特说所有古老的艺术都应该用尽可能猛烈的方式摧毁，甚至说战争是一件非常好的事情！一天德兰陂卡和这些未来主义者坐在巴黎的一家咖啡馆里，聆听站在桌子上的马里奈特做关于毁掉世界上所有古老艺术的演讲。

但是，等一等！卢浮宫……距离这里相当的远……这群人不可能横冲直撞地走过去——他们已经筋疲力尽了！怎么办？形势开始紧张和危急。这群人的情绪高涨起来（那里都是上好的咖啡），他们已经变成了愤怒的暴徒，“烧掉卢浮宫”的喊声更加歇斯底里，一切已箭在弦上。

德兰陂卡崇拜地紧盯着领袖，突然想到应该用自己的力量去改变整个历史的进程。那儿，咖啡馆的外面停着的是速度和力量的象征，凌驾于一切之上的现代技术。对，就是它！他们将乘坐德兰陂卡的小汽车去破坏所有古老的艺术！

“艺术大师！”她冲着马里奈特高喊（实际上他并不是艺术大师——而是一个头脑发热的诗人——但是，无所谓了，是不是？），“我的小汽车在外面……如果你想去并且烧掉卢浮宫我们能够用它！”

这是一个很棒的主意，棒极了！虽然只是一辆非常小的汽车，但没有关系。德兰陂卡能够飞快地在咖啡馆和卢浮宫之间来来回回多跑几趟，运送这些疯狂的暴徒……一次两到三个（或者让小个的未来主义者坐在大个的膝盖上。），她甚至能够收取运费！妙极了！所有的未来主义者冲出咖啡馆，但在那一刻……他们发现去不成了！

为什么？

1. 德兰陂卡突然想起她的其中一幅作品还悬挂在卢浮宫，决定不再想当一个未来主义者了。

2. 在去博物馆的路上，他们迷失了方向。

3. 德兰陂卡的汽车由于违规停车被拖走了。

4. 他们想起那是星期天……卢浮宫全天闭馆。

答案

3。德兰陂卡的小汽车不见了！她的小汽车10分钟前停在了人行道旁仅剩的一个停车位里。那些懒散的交警简直太有远见了，他们拖走了汽车！

傻乎乎的德兰陂卡一直没有注意她把汽车放在了限定等候区！因此，卢浮宫根本没有被烧掉，或许这些未来主义者能够再找个时间去烧掉它，甚至可以专门找出一天，带上三明治在卢浮宫附近先进行一次野餐。

在未来主义者再次有机会疯狂，烧毁卢浮宫之前，他们的想法不再被支持。许多人都对第一次世界大战记忆犹新，知道成百万的年轻人，死于使马里奈特和他的追随者们所狂热的新技术——像威力极猛的大炮、坦克和飞机。未来主义者的古怪想法，让人们开始觉得有点可笑，不久许多艺术家根本忘掉了未来主义。卢浮宫依然矗立在那里……里面满是辉煌的艺术——所有这一切都要感谢那些可爱的法国交警。

莫里斯·郁特里罗道歉的故事——行为鲁莽的画家和酗酒者

有一些艺术家由于过分喜爱某种东西而闻名，但这些东西对他们非常不好，像太多的酒精。在伟大天才前进的道路上，喝酒时常会产生破坏性影响，尤其是过于迷恋，甚至超过了自己的工作。事实上莫里斯·郁特里罗（1888—1955）被说服投身艺术，是作为让他戒酒的一种方式。结果却是令人震惊的！

1

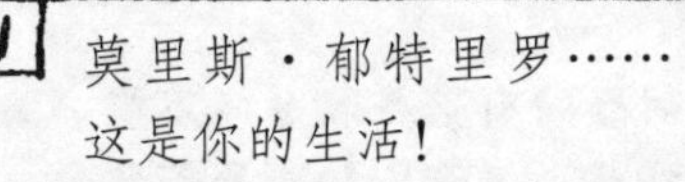

莫里斯·郁特里罗！你1888年出生于巴黎。你的妈妈是著名艺术家苏姗娜·瓦拉东。

我知道，之前我曾在某处见过她……

2

嘿，莫里斯！是的——虽然一开始我并不是艺术家。最初我只是马戏团的杂技演员，后来各种腾挪跳跃让我感觉很累，非常地想坐下来——于是我成为艺术家的模特。

3

我为著名画家雷诺阿、丹格斯和图卢兹·劳特累克摆出各种绘画姿势——你知道的，他们也是我的男朋友。然后我开始自己绘画，成为职业艺术家。后来就有了你，小莫里斯！

4

我忙于艺术创作而没有时间照顾你——把你托付给了奶奶。哦，听奶奶说！

你是一个多么难缠的家伙，莫里斯。你大发脾气撕掉了学校的课本！

5

到你13岁时开始连续逃学，和一些坏孩子鬼混。就是他们教你怎样喝酒的！

6

在后来的10年里，你成了地地道道的酒鬼……一直表现非常糟糕！还记得那次丢掉了银行的工作吗？

当然记得！
?!

7
我的老板老沃兹奈姆！
是的，莫里斯……看看我头上的包，是你用雨伞打出来的……
对不起，沃兹奈姆。

8
对于所有这些我非常不安。我想，“我们的莫里斯需要的是正经的爱好——有些东西能牢牢抓住他的思想，不再想着喝酒……”那一刻，我有了一个伟大的想法。他能够从事绘画！我给了他一些颜料、画笔，他喜欢它们就像鸭子喜欢水塘一样！

10
一旦他拿起画笔就没有停止！在巴黎的艺术舞台上，他取得了辉煌的成就……仅仅4年他画了……

超过了1200幅——其中200幅现在还被认为是杰作！
哇！

11
是的，这些画被高价出售。莫里斯赚了很多钱！你把这些钱都花在了哪里？
这个……记不得了。

12
不，你记得！花在哪里了？
哇！买了更多的酒，妈妈！对不起，妈妈！

13

正如我们所知，太多的酒精对你的身体非常有害。最终你呈现出被酒精损害的迹象，是不是，莫里斯？你的酗酒和难以控制的行为非常不好，导致了剧烈的精神病的发作，你被锁进了一家精神病院！

14

刚刚我在这里思考的时候，还一直带着画，这些讨厌的精神病院的看护偷了我的画，拿去卖掉！

嘿，莫里斯。对不起，莫里斯。

15

你开始越来越有名。在医院治疗和酒吧喝酒期间，你一直坚持绘画。法国当局对你印象尤深，决定授予你一枚奖章！

为了什么？由于我喝酒？

16

当然不是！为了你的绘画！我们授予你罗马军团荣誉奖章！仅仅只有国家英雄才能得到！

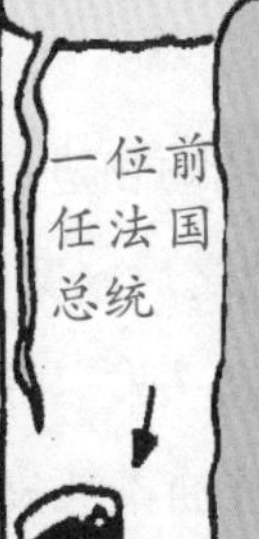

一位前任法国总统

哦，现在它将授予我……如果我没有记错的话，之后我将得到一杯酒予以祝贺是不是？

培根……和牡蛎……赌博用具……许多的马桶清洁剂

弗朗西斯·培根也相当喜欢酒……赌博……和贝类动物。他不是一般人——真有这样的人吗？他的艺术非同凡响——但许多人却认为它有碍睡眠。

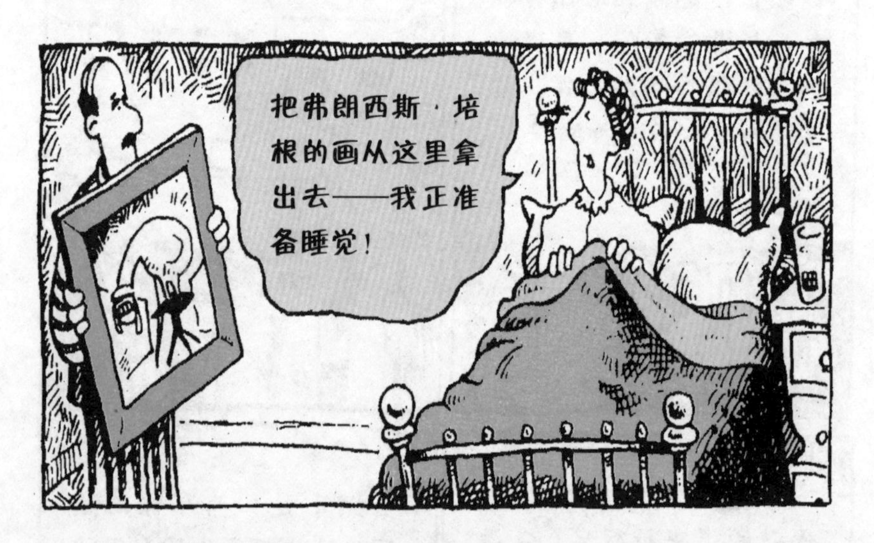

培根的画经常描绘的是看起来受了极大痛苦，或肢体变得相当可怕的一些人。这是因为他用一种惨不忍睹的形式，改变了绘画对象的表情和肢体位置。培根的生活作风就像他的绘画风格一样不合常规。

1. 培根沉迷于吃牡蛎和进行赌博。为了赌博他甚至偷过别人的钱，在大大赢了一把之后，又将所有的钱都归还了。

2. 培根非常喜欢黑头发，不幸的是，他自己的头发是浅褐色的，因此他定期用黑鞋油染头发。一天他正在一个非常热的赌场里赌博，头发上的鞋油融化了，滴滴答答地落在前额上。

3. 为了让自己更加自信和在微笑时露出迷人而洁白的牙齿，培根用威沐（旧时的马桶清洁剂）刷牙！

培根怎样描绘尖叫的教皇

他还是一个孩子的时候，买了一本名为《嘴的疾病》的书。这本书对他后来的艺术生涯产生了持久的影响。

当别的孩子出去玩耍时，他贪婪地读着《嘴的疾病》这本书，度过了许多愉快的下午。这本书中关于嘴巴的各种各样骇人听闻的图片和说明，对培根后来的生活产生了极大的影响。

等他长大以后，画了一系列的画，这些画深受他的崇拜对象——西班牙画家委拉斯开兹（1599—1660）绘画的影响……并且这位画家一生的兴趣在于医药书籍。画上的教皇都有着可怕而变形的嘴，似乎因痛苦在尖叫。

培根说想让他们的尖叫看起来像“莫奈画的日落”，你会说这些尖叫的教皇看起来有点“嘴的沉落”。这或许是因为培根设计了一个圈套。

将他们装进玻璃器皿，然后描画他们——还是或许他们原本就撕心裂肺般的痛苦？

有时培根画中的人物已面目难辨，认出他们是谁很困难。这曾经引起了一件尴尬事的发生……

绘画作品引出的尴尬

塞恩斯伯里家（拥有一个连锁的英国超市）一直是绘画的收藏者，其中也包括培根的作品。他用自己的独特的、令人难忘的风格，给塞恩斯伯里的家庭成员画了几张肖像。一天，一位新闻记者正在赞美其中一幅画。

哦、哦，天哪！太尴尬了！毫无疑问，这个新闻记者当时恨不得有条地缝，能够让他钻进去。

约瑟夫·马洛德·威廉·透纳（1775—1851）的自白书

许多伟大的艺术家都被世人认为有些古怪。英国的风景画家约瑟夫·马洛德·威廉·透纳现在被认为是一个天才，但如果在他还活着的时候你认识他，你或许就会认为他有一点疯癫。用他自己的话说：

我试图拍卖自己的画。为什么？为了抬高价钱，当然……我必须要吃饭，你知道的！

当我画画的时候，如果有人想偷看，我会立刻将作品遮盖起来，以免别人抄袭我伟大的技艺。

我厌恶批评家们说我的画是垃圾，于是我将画上的签名改为阿德米罗·普吉·布斯——以致我能够有一个平和而安静的环境作画。

在一次非常猛烈的海上暴风雨中，为了更深刻领会可怕的天气状况，我把自己绑在了一艘船的桅杆上，坚持了4个小时，没有被风浪卷走真是我的运气，但那相当值得。

不，别动我的胳膊！你这个傻瓜！我绘画时需要用这些！

当国会大厦着火的时候，我租了一条船亲自驾驶着穿过泰晤士河，尽可能地靠近大火。然后，就地将整个场景画了一幅水彩画。

我曾经坐在一辆正在穿越阿尔卑斯山的公共马车里。马车通过危险的塞尼斯山峰时，翻在了峰顶。当时整个状况简直糟透了。天气非常恶劣，马车门被紧紧地冻上了，向导和赶车人为这次翻车是谁的过错争吵不休，接着又打了起来。场面实在太精彩，太难得了，绝不能错过。我立刻拿出画具，开始描绘整个场景！

小 结

如果透纳不是一个如此独特的人，或许他永远也不会拿起画笔——也就不会留给英国（和世界的其他国家）超过19 000幅不同凡响的素描和油画，不是吗？

像许多艺术家一样，对希望完成的事情和处理这些问题的方式，透纳有着强烈的想法。作为一种精神——一定要坚持你的想法，做事情——不能一味从众，这或许是成为艺术家的必要条件，即使这样意味着你被其他人认为有些古怪、不同寻常（或者完全疯狂！）。

寻找艺术——亲自看看这些艺术品

克劳德·莫奈——《洪水》——1896年——伦敦国家画廊

文森特·凡·高——《麦田里的丝柏》——1889年——伦敦国家画廊

斯坦利·斯宾塞——《库克汉姆万物回春》——1923—1926年——伦敦泰特美术馆

托马斯·盖恩斯伯勒——《树林风光和水塘边的牛》——1782年——盖恩斯伯勒的房间，萨福克州的萨德伯里

保罗·塞尚——《苹果与橘子》——1890—1894年——伦敦国家画廊

莫里斯·郁特里罗——《蒙特马尔圣彼德小教堂》——1916年——巴黎蓬皮杜艺术中心

塔玛拉·德兰陂卡——《蓝色印象》——1955年——巴黎国立现代艺术美术馆

弗朗西斯·培根——《牛肉悬挂两侧的肖像》——1954年——美国芝加哥艺术学院

约瑟夫·透纳——《国会大厦失火》——1834年——伦敦克罗尔美术馆

超现实主义艺术

有一群艺术家差不多被每个人都认为是疯狂的。他们被称为“超现实主义画家”，他们故意创造非常可怕的和有点吓人……的艺术！“超现实主义画家”的领袖人物之一是西班牙的萨尔瓦多·达利（1904—1979）。超现实主义艺术的第一次国际展览是1938年，他说人们将体验：

▶ 1200袋煤。

▶ 来自巴西的味道。

▶ 和整间房子一样巨大的内裤。

▶ 整个展览处在伸手不见五指的黑暗中，为了看展览参观者们被发给了一些灯。

▶ 他们看见一位长着鹦鹉头的妇女，浑身上下粘满了小汤勺（多么激动人心的景象！）。

▶ 他们看见另一位妇女坐在一辆满是植物的出租车上——蜗牛在她的脸上到处乱爬。出租车里还会时而下些雨……

▶ 另一个展览是一个杯子和一只茶碟——完全被动物的毛粘满了（显然一些人没有用对清洗剂）。

这一切都是非常奇怪的。那是因为超现实主义画家试图用他们潜意识去创造艺术，这意味着他们会：

1. 在开始工作之前，完全没有知觉地彼此痛打？

2. 在睡着的时候绘画？

3. 用绑在脑袋后面的画笔绘画？

4. 真正感兴趣的是梦的世界，和那些飘浮在我们脑海中最阴暗角落的可怕而稀奇古怪的想法？

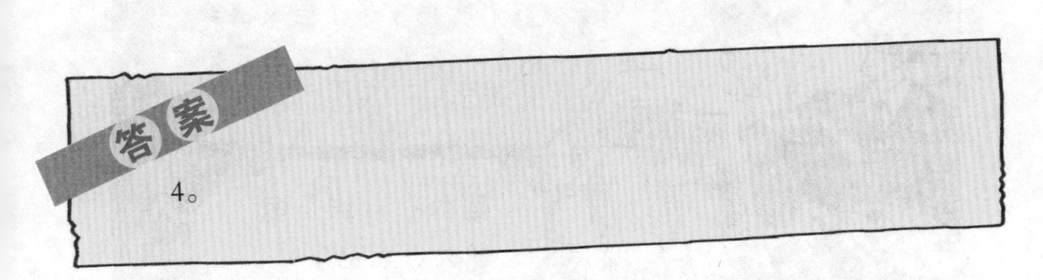

4。

我们潜意识的可怕世界

大约100年以前，一个名叫西格蒙德·弗洛伊德的人开始拨弄和刺探隐藏在人们大脑中的东西——不，不是用手指——而是用问题！他在人们被催眠，或感到真正放松的时候与人们谈话。他得到了一个惊人的发现！他发现我们所有的人都装载着思考、感觉和记忆……那些是我们从来都不知道自己拥有的！

弗洛伊德认为这些思想被隐藏在我们大脑的一个秘密橱柜里。他称这个橱柜为潜意识或无意识。他说当我们做梦的时候，就有点像偷偷钻进了潜意识的橱柜。

当超现实主义画家弄明白这些之后，他们说："哇！这听起来像一个玩笑！让我们打开潜意识橱柜，用发现的事物去创造艺术。我们要绘制梦境之画以及做事情和开展览，来展示我们最可怕的思想和感觉！"

你好，马格利特！这是一幅多么精彩的梦境之画！我喜欢流动的小河从你的壁炉中蜿蜒而出的样子！
谢谢你，达利！我也喜欢你的那幅梦境之画，一个伟岸而温柔的守夜人被一群面目狰狞的蚱蜢团团围住！这使我想起我的一个梦！
因为这就是你的梦！里面还有我！你不记得了——我们吃光了一个巨人的草地——在我们醒之前正好跳走了！
是的，达利！我以为已忘记了！

两个超现实主义画家的超现实的对话 超现实的艺术事实

1. 超现实主义意思是"超越于现实之上"。

2. 许多超现实主义的艺术家试图让他们的每一天都以超现实的方式生活。

3. 他们的一些画栩栩如生，看起来像照片一样。当你看这些画时，就感觉好像他们偷偷放了一个照相机在“似睡非睡的梦境”中，然后给梦拍了个快照。

4. 一些超现实主义者在昏昏欲睡的状态下，创作他们的艺术品（就像许多孩子完成家庭作业一样）。

5. 许多现代的电视和报纸的广告商，采用的就是这种超现实主义风格的广告，以吸引人们的注意力。例如，下面是一则苹果酒广告，一条狗在酒吧天花板漫步。

引起了一点骚乱的超现实主义艺术展览

许多人认为超现实主义者傻头傻脑的。在他们这个艺术展览会上，放映了一部《安达鲁的狗》的影片。给本来就胆小的读者最重要的提示——请不要看下面的这句话。在这部电影的银幕上，一些人的眼珠子被用剃须刀片切成一片一片的。好了，可以继续阅读了。

一些参观者不喜欢这样的展览和电影，一丁点儿都不喜欢。接下去发生了什么？这些参观者：

1. 扬起他们的眉毛，发出“嘘，嘘”的噪声？

2. 朝银幕上扔蓝黑墨水？

3. 扔臭鸡蛋和烟雾弹？

4. 将超现实主义者的画恶狠狠地撕为碎片？

5. 用棍子痛打别人？

答案

他们会做以上所有的事……然后感觉舒服了许多。

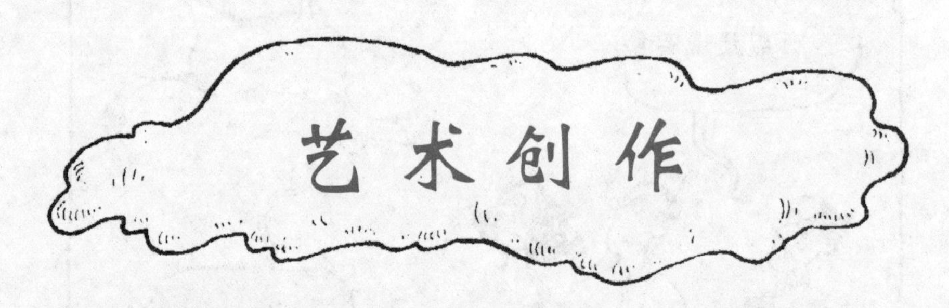

创作你自己的超现实主义的梦中景象……或噩梦电影剧本

你能够创造超现实主义类型的梦境之画……即使你不是疯狂的天才！

你需要的东西：

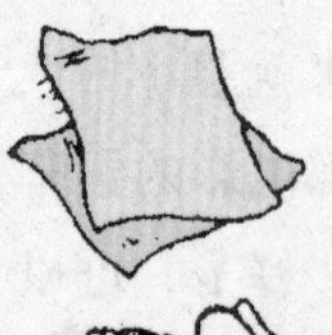
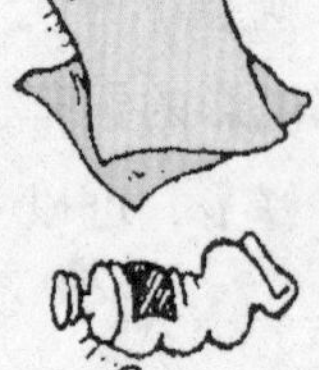

- 一些乳酪
- 颜料和纸
- 胶水
- 剪刀
- 许多废旧的杂志和报纸

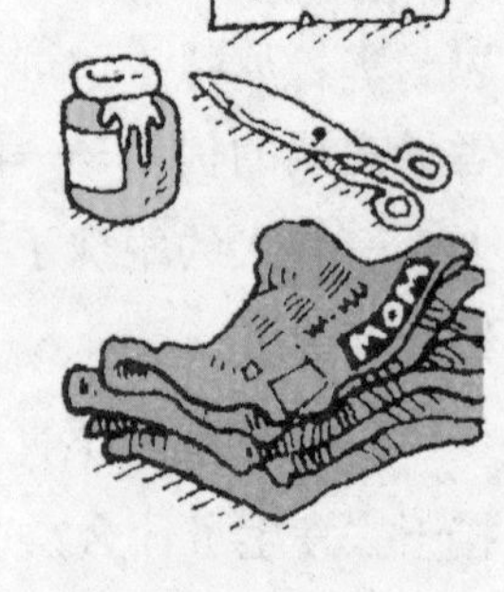

用这些简单的东西你开始做美梦或噩梦，越稀奇古怪、超出现实越好，最好吓得艺术历史学家灵魂出壳。

你必须做：

▶ 吃乳酪（自由选择），上床，睡觉，做许许多多奇怪的梦；

▶ 醒来（自由选择）——记住你的梦（在它们消失之前写下来！）；

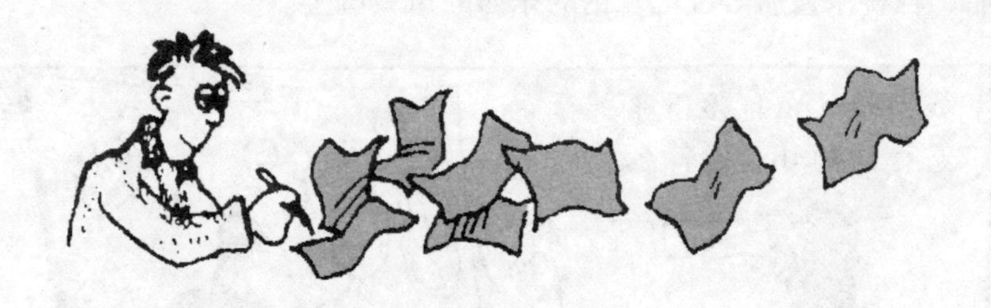

▶ 用从杂志上剪下来的图画和照片，将你的笔记和记忆进行组合；

▶ 重新整理这些想象，直到一幅真正可怕的图片出现。用你的想象力、梦的记忆甚至是潜意识控制你的思想和行为。

用画面记录思想

这是因为人们在做梦期间总是睡着的，因而永远也不会总记着这些。

▶ 贴巨人的头在动物（或其他形式的圆）的身上。

▶ 然后把这些放在你已经画好的，天空中放满了像一排排小船、各种果酱瓶等乱七八糟的东西的风景画上。

达利——资料

萨尔瓦多·达利是一个有满脑子聪明想法的人。下面是一些有关他的故事。

警 告

不要在家里尝试这些——或任何一个别的地方

古怪想法之一：爆炸的鸭子

一天，达利想和一只鸭子拍一张照片……他找到一个从事摄影的朋友，告诉他："我们这样做，抓一只鸭子，在它身子底下放一些炸药，当这个鸭子爆炸的时候，我就跳起来，你立刻拍照！"

他的朋友有一点惊奇，然后说："如果炸鸭子的话，我们将会被抓进监狱！"

达利想了一会儿："你说的对。那我们抓一些猫用水泼它们替代用炸药炸鸭子。"他们的确也这么做了。

古怪想法之二：艺术演讲

达利准备去做一个演讲，而且要在不知不觉中展示超现实主义艺术。他觉得应该为这个机会准备一套衣服。你认为他会选择穿什么?

1. 牛仔和T恤
2. 特制套装
3. 睡衣

显而易见，不是吗？他当然决定穿特制套装……那是一套深海潜水服，达利用从一辆奔驰汽车上得到的螺丝，将一个头盔和潜水服中间的塑料圈固定在一起。为了看起来更加完美，他又增加一些点缀以完成这次装备，比如一把插在腰间的镶满宝石的匕首……一根台球杆……两只巨大的爱尔兰猎狼犬（狼犬并没有拴在腰带上——他还没有这样超现实——他让狼犬带路！）。

“我在做梦吗？这不会是真的！”当达利走进报告庭时，听众中的一些人这样疑惑着……然而……那就是所有人的想法，不是吗?

体验喘气的含义

在这个不易察觉的展示中，达利发现晚上穿潜水服或许不是一个明智的选择。人们根本听不见他在说什么。更糟糕的是，头盔阻碍了空气的流通，他开始喘不过气来，于是发疯般地示意一些人来帮他，但观众们似乎不能理解他的拼写和发音，在众目睽睽下他差点死了。

终于，演讲的组织者发现出了麻烦，于是不顾一切地尝试着将达利从杀人的衣服里解救出来。但他们拧不开紧紧固定头盔的螺丝，达利真的要死了！一些人冲出去找到了一个工人，从他那里借了一个扳手，在最紧要的关头达利被从潜水服里解救出来了！

古怪想法之三：梦的舞会

达利组织过一种超现实主义的迪斯科舞会。看门人戴着玫瑰花，坐在人行道的石椅上向客人们问好。他们必须跨过一块系着红丝带的、巨大的冰坨，因为这块冰正堵着门口。

一进到里面，才发现跳舞的音乐来自一头披着婚纱的死牛，牛的胃被摘走了，代之以一部唱片机——（真正就像你们学期末的迪斯科舞会一样！）

达利有用的发明

起初人们害怕买达利的画，因为它们太怪异了（是画，不是人们）。为了赚钱他决定发明一些有用的东西，包括：

1. 一张长靠背椅，看起来尤其像好莱坞著名影星梅·韦斯特的嘴唇。

2. 嵌小镜子的人造指甲，佩戴者随时都能看看自己是否光彩照人。

3. 胶木（早期塑料的一种）制成的家具，被浇铸成主人身体的形状。

4. 在鞋子的下面装上弹簧，使走路的样子更加有趣。

最后的这个主意，是否让你想起了现代休闲运动中，蹦床上训练者的样子呢？许多达利的发明在当时被认为是令人吃惊和无法容忍的，但50年过去了，它们看起来似乎没有那么稀奇古怪了。事实上，其中的一些还相当有用。嘴唇形状的长靠椅被用在夜间电视节目上（以制造恐怖气氛——译注）。和文森特·凡·高及许多其他的艺术家一样，达利现在也被认为在许多方面引领了那个时代的潮流。

勒纳·马格里特和不是烟斗的烟斗

布鲁塞尔《旋风日报》 9月17日

这不是一只烟斗？画家一定在开玩笑！

又一个傻头傻脑的超现实主义者。得了吧，马格里特，谁还会认为你是一个孩子？被称为超现实主义画家的勒纳·马格里特画了一幅烟斗的绘画。猜猜这

个疯疯癫癫的画家做了些什么？他命名这幅画《这不是一只烟斗》。

得了吧，马格里特先生！谁还会认为你是一个孩子？你知道，我们《旋风日报》的读者并不傻。

它当然是一只烟斗！除此之外，还能是什么？下面的事情我们都猜到了，马格里特先生将试图告诉我们它是一个中空的、带着曲线的、用来吸烟叶的木制工具？哈！哈！哈！随便扯点什么！

如果这件事情还不够古怪的话。那么另外一件，天在下雨，但下的不是雨滴，而是人，许许多多的人！问问你……马格里特先生希望我们相信这些真的会发生吗？

我们将这幅画的复印件展示给米歇尔·鲍森先生，他是一名固定的《旋风日报》读者和业余天气预报员。

“看起来像一个古怪的梦，不真实并且完全令人难以置信！” 鲍森先生说，“我的意思是说，我从来也没有听见过天气预报员这样说‘今天早晨天气晴朗而干燥，接着将下一场戴着同样圆顶硬礼帽、穿着黑色长风衣的男人小阵雨’，你听见过吗？哈哈哈!”

《旋风日报》说：“这是关于你的玩笑，马格里特！你的超现实主义的确是一场阵雨，不是吗？明智些并且变得……现实些！”

这名《旋风日报》的新闻记者显然没有意识到，马格里特的从天空中落人的画是一幅梦境之作。他们也没有理解烟斗之画的真实含义。马格里特只是试图表明不要将这幅画仅仅限定在烟斗上。他是正确的，那并不是烟斗……那只是一块涂满了颜料的画布，之所以如此安排，是为了给烟斗留下极深的印象和无限想象的空间—— 你看见什么就相信它是什么！

马克斯·恩斯特和令人大吃一惊的地板

马克斯·恩斯特（1891—1976）是一位德国的超现实主义的艺术家，他喜欢偶然性的沉思和幻想。一天他要了一小袋炒花生，坐在海边的酒吧里静静地思考。突然他注意到了地板，立刻被地板那迷人的、粗糙的表面吸引了！恩斯特不再能够控制自己，于是将一张纸铺在上面并且用铅笔在纸上摩擦。别的顾客都很迷惑，但恩斯特却极度兴奋。他发现的艺术技巧现在被称为“描摹”。“描摹”在法语里就是“将纸盖在物体上摩擦”，你一定很奇怪为什么不直接叫“摩擦”？哦，它听起来太直白了，不是吗？

那一定是一位超现实主义者陷入了潜意识的麻烦。
擦擦擦
摩摩摩

恩斯特也创造了许多其他令人愉悦的艺术技巧，用这些打发冬季漫长的夜晚。它们包括摆动画法、碎粒摩擦法、抽象派的拼贴画法和移画印花法。你能够在自己的房间秘密体会这一切，那么你一定会成为超现实主义者。

创作活动

用马克斯·恩斯特的技艺创造你自己的杰作

创作之一：摆动画法

▶ 将一根绳子系在底部被挖了小洞的颜料罐或酸奶盒的上面，然后在一张巨大的纸上来回摇晃。

▶ 现在开始做一个极快的运动——不是纸！是手提着的罐！

▶ 现在你应该看看画布上有趣的图案形状（或者卧室的墙壁）。

▶ 什么也没有发生？好……那么试着放一些颜料在罐里！

创作之二：移画印花法

▶ 将颜料洒在一张纸上，然后把第二张没有颜料的纸压在第一张纸上。剥开它们。

▶ 把第二张纸压在第三张没有颜料的纸上。把第三张压在第四张纸上，依次类推。每一张纸上都将有颜料不同的纹理，只是颜料的数量越来越少。

实际上只要你想做，你就能够持续地、无限制地做这些，但是小心自己变成一张移画印花。有些人做这个活动如此着迷，以致在一个下午他们用完了一个“热带雨林”。

创作之三：描摹和碎粒摩擦法

进行这些活动你一定要完全沉浸在这些有趣的纹理表面里——就像恩斯特在酒吧那样。但并不是说一定要去酒吧做这些。

▶ 任何古旧的表面都可以，只要不是太光滑。

▶ 用粗糙的木头、粗布袋和一只温驯的犀牛。

▶ 把你的纸放在这个表面，并且用铅笔摩擦。或许你会感到你的潜意识接触到了正在描摹的物体。

碎粒摩擦和描摹是相似的，但并不用绘画的铅笔。

▶ 把你的纸放在纹理的表面，放一点点颜料在上面。

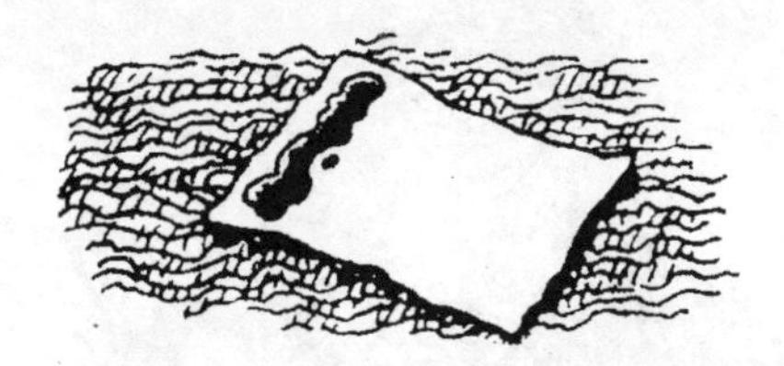

▶ 然后用木片或非常干的油画刷沿着纸刮这些颜料，形成的图案应该与你选择的纹理相似。

所有在活动中制成的各种各样的图案和纹理来自于你的想象力，最终你会看到有趣的形状，接下来你可以进行一些有意识的活动。

当完成这些创作后，你可以通过裁剪和粘贴的方式将所有作品组合为拼贴画，把它们变成另外一张纸或木板贴画。

恩斯特结合所有的技艺制作了非常美丽的艺术作品《天使的声音》。

小结

许多艺术家通过作品表达他们的潜意识。有时他们甚至并不知道自己在做什么。

达恩有一种潜意识，希望可怕的事情发生在他可怜的老师身上吗？

答案

不，当然不是！达恩的老师史密斯先生，他有一种潜意识，希望看见可怕的事情发生在他的私人牙医身上。

寻找艺术——亲自看看这些艺术

勒纳·马格里特——《这不是一只烟斗》——1928—1929年——美国纽约的威廉姆·恩·科普兰收藏

萨尔瓦多·达利——《内战的预感》——1936年——美国费城艺术博物馆

马克斯·恩斯特——《他们在森林里待的时间太长了》——德国萨尔布吕肯的萨尔兰德博物馆

涂鸦之作的价值

艺术家的需求

内部运用

拥有大笔财富！你的涂鸦之作能令你赚许多钱！

（然而……你的胡写乱画或许一文不值！）

为他们的艺术遭受苦难——一系列伤感的故事

萨尔瓦多·达利最终通过艺术赚了很多钱，于是他为自己建造了一幢豪华别墅居住。并不是所有的艺术家都这么幸运——有时世人不能意识到有些艺术家的创造天分，于是他们的一生都在穷困潦倒中度过。你愿意成为哪一类——身无分文的画家，还是百万富翁级的艺术大明星？如果你正想成为一名艺术家，这里给你提供了许多艺术之路，选择你认为最适合你的道路。你愿意：

1. 先贫穷一阵……然后惊人的富有？
2. 先是非常穷……然后惊人的富有……最后极端的贫穷？
3. 惊人的富有……接着更加惊人的富有？

4. 贫穷很多很多年，然后极为富有……但是已经死了？

5. 相当贫穷……随后也没有一文钱，以致被迫卖掉自己的牙齿？

不幸的是，大多数的艺术家并不能选择他们的艺术之路——通常是路选择了他们。一些人由于好运走上了幸福之路，另外一些人由于变化无常的命运，经历的是痛苦之路。因此，谁是舒适惬意的人，谁是百万富翁的艺术大师，谁是厄运临头的拙劣画家？请继续阅读并且找出来……

帕布洛·毕加索奇迹般变得富有

最初，西班牙艺术家帕布洛·毕加索（1881—1973）在巴黎时生活在极度可怕的贫穷中。他穷得都吃不饱。据说他常常从门前的石柱上偷牛奶，甚至被迫和一位诗人共用一张床，当然不是在同一时间。他们轮换睡觉——毕加索白天睡觉，晚上绘画，而他的诗人伙伴马克斯·雅各布晚上睡觉，白天工作。毕加索和雅各布也分享过一件长大衣、一顶帽子（那一定非常不舒服……并且令人尴尬！）。

一天，当他们实在觉得饥饿难耐时，这两个年轻的艺术家发疯了，出去买了一根香肠。非常不幸，那是一种劣质的香肠，肠衣里装满的不是新鲜的肉而是鼓鼓的气，当他们试着煮香肠的时候，香肠爆炸了（哦，它是香肠吗，不是吧——更像是鞭炮！）。毕加索在以后的生活中一直记得这根爆炸的香肠，雅各布甚至为它写了很多诗。

尽管面临着许多各种各样的问题，但作为一名艺术家，毕加索一直在努力工作——他注定会成功。他付不起给艺术模特的钱，于是画了许多周围的人——这些人也非常贫穷。毕加索的画从大约这个时间（1901—1904）开始，基本上全是那些看起来寒冷、瘦弱、悲惨和饥饿的人，就像毕加索自己一样。

由于贫穷，毕加索画中的人是忧郁的——事实上，整个画面都是忧郁的。那是因为他用了大量深浅不一的蓝颜料，赋予了他的作品一种凄凉、失望和孤寂的基调。毕加索自己一直也很忧郁——巴黎的冬天太冷了。由于这些伟大的蓝色作品的出现，毕加索的那段艺术时光现在被称之为“蓝色时期”（多有创意的想法）。不久，这个称呼被模仿：

▶ 他的“粉红时期”（他有点振奋，用玫瑰红绘画）。

▶ 他的“黑人时期”（他更加振奋，受非洲艺术的颜色和形状影响）。

▶ 他的“立体派时期”（他感到非常伟大，受塞尚影响）。

由于他复杂多变的时期和风格，人们开始说：“帕布洛·毕加索是一个非凡的艺术家。他是如此多才多艺、富于想象力和天资聪慧，他很可能是一个天才。我们应该为他的雕刻和绘画支付大量的钱！”

现在，我该用什么颜色？粉红色？橙色？夺目的黄色？哦，我知道！蓝色最适合！
蓝色

人们确实付给他很多钱，毕加索变得越来越富……越来越富……很快他就能够为自己购买煤、不会爆炸的香肠以及在法国里维埃拉的豪华房子。尽管如此，毕加索依然没有停止工作，他一直能够创作伟大的作品，直到将近90岁的时候。“他好像能够点石成金。”毕加索的朋友大为赞叹。事实确实如此。毕加索死时留下了一大笔财产——约6亿英镑——数目足够惊人吧！

安·路易杰罗德特德·特里奥松的好主意——不仅是一支蜡烛……不是吗？

为了赚更多的钱，艺术家们知道如何去计算他们的工作成本。有的根据尺寸，有的根据时间和材料。特里奥松的方法是根据蜡烛！

当毕加索在夜间工作时，他就发现仅靠蜡烛的光亮不太好作画。那么，为了提供尽可能好的光线来观察作品，你会把蜡烛粘在什么地方……你的耳朵上吗？

法国艺术家安·路易杰罗德特德·特里奥松(1767—1824)，确实是一个有绝妙主意的聪明人。特里奥松经常在夜间工作，为了看清他所画的作品，他做了一顶特殊的帽子，这顶令人吃惊的帽子有成打的蜡烛被粘在帽檐上。他的整个头部的确非常明亮。他的帽子能够擎住40根蜡烛，特里奥松简直就像一棵人形圣诞树。他根据在整个绘画期间用了多少根蜡烛向顾客收费。

这幅画真的便宜——在整个创作过程中，我没有用一根蜡烛……

“难闻的诺肯斯”

虽然一些艺术家在大部分生涯中都非常成功，但不管他们挣了多少钱，却总是相当吝啬。这些人太小气了，根本不会去买一根蜡烛。

英国雕刻家约瑟夫·诺肯斯（1737—1823），生活于18世纪的英国。当时他通过给名人塑全身和半身雕像，赚了许多许多的钱。尤其是在庆典的日子里，这些名人会为了他们的石头雕像付给诺肯斯更多的钱——多么虚荣的一群人！诺肯斯很富有，但他却令人难以置信的吝啬。下面就是这个老吝啬鬼如何省钱的：

1. 他坐在黑暗的房间里，以致根本不用买蜡烛。

2. 他在本地的肉铺周围溜达，拣那些被扔出来的碎骨头…… 用它们做晚餐。

3. 他是一个走私者。在他把中空的雕刻作品带进英国之前（这些作品是在国外创作的），他总是在里面塞满贵重的东西，像昂贵的手套、领带和丝袜。海关官员怎么也不会料到吝啬的老诺肯斯会用这种方式逃避关税。

4. 当他出去吃饭的时候，总是随身携带一个狗食袋，用剩饭菜装满它。这些并不是回去喂狗的——而是留给他和他的妻子吃。

5. 他从来不在房间里生火，即使在寒冷的冬季！

6. 他在一段时间内仅仅只有一条内裤。他成年累月地穿着这条内裤直到破了才换掉。天哪！这就是为什么他们称他为“难闻的诺肯斯”？

这没什么好惊奇的，当这个吝啬的雕刻家死的时候，留下了20万英镑。在1823年，这是一笔非常巨大的财产，今天依然如此。

奶牛……不便宜！彼得·德·文特的收费制度

彼得·德 ·文特（1784—1849）是一位英国的风景画家和艺术教师，有一点吝啬，总能抓住每一次的赚钱机会。一天彼得正在看一名学生画风景，他认为如果在这个年轻人的画上加上几头奶牛，这幅画将会取得更好的效果，因此他亲自在这幅画的边缘处画了几头奶牛。当这名学生为他的这堂课付账时，学生惊奇地发现，他的小气鬼老师将额外工作记在了账单里……因为画了那几头奶牛！

为了这幅杰作——什么也不顾了！

有时艺术商们完全知道利用这些为了绘画而不顾一切的可怜的艺术家。

席里柯（1791—1824），法国的画马艺术家。一次，他身无分文，以致连一块画布也买不起。但由于太想画一些东西了，于是他找到一名画商，说：“如果你给我一块空白画布，我将把这幅完成的在马上的骑兵队长送给你！”

“除了这些……不用再付任何费用了？”吃惊的画商问。

“我认为这幅画看起来和付费的一样好。” 席里柯说。

“好，成交！” 画商用那块空白画布与席里柯的杰作《轻骑军官的冲锋》做了交换。画商在忐忑不安中度过了其余的几天，最终没有付一分钱，就得到了席里柯的作品。

如果席里柯坚持保存这块空白画布180年，这块画布会让他赚上一笔钱，就像一个类似的人为威廉·特布尔做的那样。

那是一头在暴风雪中的北极熊吗？

1978年在利物浦的约翰·毛里斯画展中，英国艺术家威廉·特布尔（1922— ）将一块完全空白的画布（整个被用白颜色涂满了）进行展览。因这块画布他得到了3000英镑——或许他更愿意得到一张空白支票。

任何颜色……只要是空白的

莱因哈特（1913—1967）利用空白画布做得更好。他在画布上画满了黑色……然后卖了24 000英镑。

莱因哈特的画布并不是真正的完全空白，和特布尔的不一样——如果你不注意区分的话，它们看起来是同一种形式。特布尔在画布上涂满白颜料，主要在于创作真正令人感兴趣的表面。他希望人们关注绘画上迷人的图案，而不仅仅是颜色。

莱因哈特更感兴趣于颜色，特殊的颜色差不多是没有颜色。他的画布实际上被分割为几个长方形，用各种深浅不一的黑色画满。人们开始看这些画布时，感觉像空白的，觉得缺乏有趣的、栩栩如生的感受——多看几分钟，仔细揣摩这幅艺术作品，时常能获益匪浅，因为这时显然不再是第一眼的感觉。看……看……再看！

“我太饿了！只要我一有钱，我就会买一块巨大的牛排……并且画它！”

当苦苦奋斗的艺术家们开始赚很多钱的时候，他们并不总是将钱花在提高生活质量上。查姆·苏丁（1894—1943）来自立陶宛的一个小山村，他唯一的愿望就是成为艺术家。在7岁的时候，他偷了妈妈最好的厨房菜刀，把刀卖了，然后买来蜡笔画画。当妈妈发现后非常生气，于是把他关在地下室的壁柜里足足两天。

这些并没有阻止苏丁想成为艺术家的愿望，但非常不幸，他的家庭实在太穷了，根本不可能送他去艺术学校。

一天苏丁的运气出现了转机，他被本地神父的儿子打了，碰巧是因为苏丁为神父画了一张像，虽然他不想让神父的儿子看见。

神父被迫支付给苏丁的母亲一笔损害赔偿费。用这些钱苏丁的母亲付清了医药费，并且把他送进了艺术学校。

真令人难过，即使苏丁是一个真正的天才和努力工作的艺术家，他的生活依然一贫如洗。或许有一些事情导致了这样的事实，那就是苏丁从来不让任何人看他的画。对于在艺术展上展出作品，苏丁有一种病态的恐惧。在这个冷酷无情的艺术世界，不管你信还是不信，许多买画者都语调冰冷地要求在购买之前，先看看作品——这一点对他有些不利。

因此苏丁总是没钱，总是挨饿，他时常数小时地站在咖啡馆的柜台前，希望能有人怜悯他，给他买一些东西吃。不幸的是，大多数的人看见他就绕道而行，由于极端的贫穷和饥饿，他容颜枯槁和脏兮兮的……更别提身上臭气熏天的味道了。

过了一段时间，尽管面临着各种各样的问题，他还是赚了一些钱，也能够去买一些一直想要的东西。他买的第一件东西是……尸体。一头牛的尸体。他并不是想去吃这头牛——而是为了他的艺术。他将牛的尸体悬挂在画室的天花板上，然后开始描绘它。苏丁派他的助手去当地的肉商那里要了几桶血。他将这些血泼在牛身上，以确保在整个绘画期间，牛一直保持它"像刚刚被屠宰"的样子。

不久牛开始腐烂并且变得非常难闻，但是由于太专注了，苏丁似乎并没有注意这些。

当地的警察和健康机构的官员来找苏丁，命令他立刻把牛扔掉。苏丁恳求警察和官员允许他继续留着这头牛，强调说艺术要远远重要于公共健康，令人作呕的恶臭让邻居们窒息都是些微不足道的小问题。他最终得以完成这幅牛的绘画。苏丁的这幅非常有名的绘画被命名为《牛的半边》，苏丁画了相当多类似"牛的半边"的画，它们中的一些被保存在美国布法罗的阿尔不莱特诺克斯美术馆（相当的真实）。

未曾遇见的花费

就像绘画能赚很多钱一样，艺术家也不得不在一些事情上有所花费——例如画笔、颜料……保持洗澡水整天温暖，在四个月里的每一天！

英国艺术家约翰·埃弗里特·米莱斯（1829—1896）非常喜欢罗曼蒂克题材中的优美情节。他深深地被莎士比亚的戏剧《哈姆雷特》吸引。特别是剧本里的一个情节一直深深地打动着他。故事里有一位叫奥菲莉娅的年轻女孩在拣一束花的时候掉进了河里——多傻的女孩——为什么不在地面上拣？奥菲莉娅并没有高喊救命，而是在河里漂了很久，还一直紧紧攥着那束花。

米莱斯认为这富有魅力的、浪漫的场景是一个很好的素材，用它一定能够绘制出一幅绝美的油画，于是他选择了一条合适的河流，带着颜料和画板在河边整整坐了一个夏天。可是他等了很久，却没有一个可爱的女孩碰巧抓着一束花在河中漂流，最后米莱斯只能改变主意，只画了这条河。

于是，他决定找一个模特，让她像奥菲莉娅那样摆好姿势，在河里手捧着花束在水中漂浮。他问一位叫莉莎·西戴的年轻女孩是否愿意来为他做他的模特。难道真的把莉莎·西戴丢在河里，让她冒着可能沉没的危险……还是让她漂走再也看不见？约翰想了一个好主意，如果莉莎肯来就让她在浴缸里漂浮。

“好吧，”莉莎说，“只要浴缸里的水足够温暖，只要我能穿着衣服！”

“没有问题，宝贝！”米莱斯说，“你可以穿上最漂亮的长袖晚礼服，在浴缸的下面我将一直燃着一盏加热灯，当我绘制杰作的时候，你就可以在温暖的水中沉浸在最温柔的想象里。”

在这个寒冷的冬季，莉莎在浴缸里躺了漫长的4个月，而米莱斯在整个绘画过程中要求极为严格，力求油画中的每一个细节都绝对完美。

米莱斯并不是一个不通情达理的人，他允许莉莎不时地从浴缸里出来——以致她的皮肤不会被泡得起皱——并且有空去做所有我们必须做的正常事情，像购物、吃饭，还有——洗澡。

一天， 当莉莎待在米莱斯的浴缸里时，她的牙齿开始打战，皮肤也开始变得青紫。

那天晚上当莉莎从米莱斯的画室走回家的时候，她鼻涕横流，怎么也擦不干净。

“快帮我叫医生！”当莉莎到家的时候，对她父亲说。

“你本身就是医生！”她父亲说。

这根本没有令莉莎感觉好一些，他们只好去请当地的医生来为莉莎看病。医生来后告诉莉莎患了重感冒。

“我知道！”莉莎咬牙切齿地说，“我知道为什么会这样！该死的、可恶的米莱斯忘记在浴缸下点燃那盏灯！阿嚏！阿嚏！阿嚏！”

在莉莎的父亲塞达取了3卷卫生纸后，父亲问莉莎为什么米莱斯一直放一张羊皮在浴室（供莉莎出来后取暖——译注）。塞达先生去了艺术家的房子，对米莱斯说：“看看医生的账单！你要知道那不是一般的打喷嚏！你要为这些付钱！”

米莱斯不仅必须为颜料、画布、画笔和温暖的洗澡水付钱，还不得不为莉莎的医药费付账——但最终那是相当值得的——因为这幅画自展出的那天起，就给成千上万的人带来巨大的愉悦，画得太美了！米莱斯的奥菲莉娅之画现在还在英国的泰特美术馆展出。

破布致富的故事

有时一些艺术家很晚才被发现。下面的这个故事就是如此。

重要提示：这个故事发生在艺术的世界，这个世界里只居住着批评家、画商和收藏者（一两个艺术家）。居住在这个迥异世界的人们用一种特殊的艺术语言进行交流。在这个故事里有几个人物讲的是艺术语言。如果你不明白他们的话，没有关系——他们自己也不明白！

一些艺术家在他们的顶楼上（楼房的顶层）忍受着饥饿，埋头于艺术创作，以致被饿得越来越瘦，越来越小。他们的作品完全没有引起任何人注意，一天，他们被一位艺术批评家发现了。

一定是这个地方。
我太饿了，所以能吃掉用镉做成的柠檬！
这幅作品太迷人了！它真正代表了一种20世纪后现代主义的时代精神！
哦……那是我用来擦画笔……颜料的破布，都堆在那里了。
这些太精彩了！你领会的后现代主义——田园生活返璞归真的感觉太离奇了！
这家伙纯粹在胡说八道！
不能够不尊重自己的老板！

④
多美的图片！你用的新达达主义的表现手法达到了完美的顶点！
这个白痴疯了，他把所有的画都挂反了！
是的——我妈妈确实也曾经这样说过！
⑤
全是毕加索风格的！
你注意到那个雕塑的眼睛似乎跟着你到处在房间里转？
亲爱的！我想他一定是安全人员。
香肠真好吃呀！
⑥
这是一幅杰作！我付你10 000元买它！
我出20 000元！
我出50 000元！
好吧，跟你成交！
接下来会发生什么？

展出一些维米尔的作品……每一个人都欢呼喝彩！

并不是每一位艺术家都这么幸运。虽然荷兰艺术家简·维米尔经过专业培训之后成为一个知名画家，但是他仍然很难为他的画找到买主。他的作品非常细腻，并注重画内所表达的氛围，他的许多画中都有衣着华丽的妇人在演奏各种乐器。画面洋溢着和平与宁静的感觉。

第一部分——既不为了面包，也不为了钱，只能生活在领救济的穷人行列

简·维米尔绘画非常……非常……非常的慢，他的作品根本不能为他自己、妻子和11个孩子赚取足够的生活费。因为付不起买面包的钱，他的一些作品被面包师傅拿走了。当他死的时候，欠了太多的钱，以至于剩余的21幅作品全部被卖了用以还债。

即使这样，也不够偿还所有的债务。1675年，似乎没有一个人真正认识到简·维米尔绘画的价值。

第二部分——世界上最长的康茄舞

如果在321年以后的1996年，维米尔的灵魂还能萦绕在美国华盛顿上空的话，它会看见数千人站立在长长的队伍中，并在风雪交加的夜晚露宿街头。他们为什么排这么长的队呢？

1. 他们想得到米歇尔·杰克逊告别演出的门票？

2. 公共汽车来晚了？

3. 大甩卖的第一天？

4. 他们想创建世界上最长的康茄舞会，以进入《吉尼斯世界纪录》？

答案

以上答案都不对。你知道还有别的原因吗？继续阅读并且找到为什么他们在排队！

第三部分——“我？你一定在开玩笑！”

毫无疑问，维米尔的魂灵会这样想……

看看这些可怜的、无家可归的人，他们一定是为了一份免费面包在排队。我为他们感到难过，我知道连一块面包也买不起的滋味。

他完全错了。数千人站着排队并不是在乞讨——他们是美国的艺术爱好者，整晚上的排队是为了得到票去参观在国家美术展览馆展出的维米尔的21幅作品。

第四部分——“我想感受所有的和平——艺术迷们的一次群殴”

那次在华盛顿的展览，全世界的艺术爱好者都坚信简·维米尔的油画绝对无与伦比。任何一个看了这些画的人，会感到完全的宁静、幸福和祥和！这次展览会的票没有能够及时出售，数千人感到了失望。

这个展览开放了两个月，超过3000万人来参观。一些人锲而不舍地在这里排队，等着参观这些油画（并且感受宁静与祥和），以致出现了一些小摩擦，艺术迷们开始互相殴斗。

艺术有如此价值……然而它又是……无价的

维米尔的油画现在被世界上最富有的一些人拥有。据说这些作品都是无价之宝。他们的拥有者戒备森严地看护着它们，有些人根本不想拿出来向公众展示。为这次华盛顿的展览，主办者前后花费了4年时间说服英国女王出借她手中的画。

当一位艺术家的作品被称作“无价的”，它意味着什么?

1. 它一文不值?

2. 粘着的条形码掉了，在检票出口的人只能举着物品高喊：“多琳，你看看这个星期维米尔值多少钱，我想它们在特价处理。”

3. 拥有者记不得买画时付了多少钱?

4. 作品具有惊人的价值，如果不得不出售时，人们难以想象它到底值多少钱?

答案

4。它们具有无法计算的价值。

文森特·凡·高的作品价值巨变的（悲惨）故事

另外一个画卖不出去的是荷兰艺术家文森特· 凡·高。他不能够卖掉他的画，尽管他画了800多幅……并且有一位做画商的哥哥!

虽然他的作品被忽视，凡·高看到的依然是光明的一面。

他居住在法国南部一幢黄色的房子里，在这里他画了许多富有感染力的东西，像黄色的家具、黄色太阳花和黄色的……房子！为了坚持艺术追求，凡·高被迫生活在极度的贫穷中。当时除了硬饼干和鸡蛋，他什么也没得吃。一次他甚至吃掉了他的颜料——并不是因为颜料味道鲜美——他只是感到厌倦了，并且想毒死自己。尽管面临着无数的苦难，凡·高仍然继续在画他的惊世之作——但是，哎呀，这些画还是卖不掉。

很长时间过去了……在经历了非常……非常漫长的艰辛之

后……事情开始有了转机。凡·高的一幅《向日葵》油画，在伦敦克里斯蒂的拍卖行以24 750 000英镑拍卖——大约一朵花值200万英镑。事情发生了令人难以置信的改变。突然间，每一个人都想拥有凡·高的作品。几个月以后，一位澳大利亚的亿万富翁付了3000万英镑买走了凡·高的绘画《彩虹》。

还有更好的消息！他的油画《加彻特医生》，是一位朋友画的肖像，卖了惊人的天价……59 107 142英镑。非常令人难过的是，这时凡·高已经死了100多年——毫无疑问，凡·高对于没有享受巨变带来的利益，真的感觉很遗憾。拿着5000万英镑，他能够买许多的硬饼干，还有足够的零钱买一艘豪华游艇。

不管信还是不信——太阳花确实开放在人们心中！

可怜的老凡·高对于他所画的事物感受到的是真正的激情。他的《向日葵》、《彩虹》和《沐浴在和煦的阳光里》这些法国风景，用色彩和力量给人们带来心灵的悸动。不幸的是，他那不流于世俗的画笔的笔触、厚厚的一层层的颜料和来自他的作品的令人愉悦的感染力，并没有得到19世纪人们的认可。他们认为这些作品拙劣、毫无价值和俗不可耐。

许多年过去了，世界终于开始赞赏伟大的画家凡·高——他的艺术风格开创了历史的先河。

现在，人们认为他的作品是伟大的。数千人用凡·高油画的印刷品装饰房间、学校和办公室——甚至用原画——如果付得起4000万~5000万英镑的话。

一些特殊的东西

艺术作品究竟值多少钱？维米尔和凡·高绘画使用的画布、颜料可能仅仅只花费极少的法国法郎和荷兰盾……但是富有的艺术收藏者通常会为这些完成的作品付上百万的金钱。仅仅是因为放了一些颜料在上面，用一种令人愉快的方式安排了色彩和构图吗？哦，不完全是——艺术家们也做了一些别的。

他们富有魔力的画笔赋予了作品特殊的灵性。他们绘画的时

候，很可能就在体验这种灵感，并且将这些通过每一个简单的笔触、图案以及色彩、构图、亮度和阴影等阐述事物的方式体现在画布上，从而感染每一位欣赏画的人。即使艺术家已经死了几个世纪，艺术家的精神和伟大的作品却经世永存，这一切是独一无二的。

这意味着永远也不能用同样的方式再一次复制——即使艺术家自己也做不到。试图创造同样的东西不是艺术家的工作——把这些留给工厂的机器去做吧。

小结

当世界觉醒的时候，创作了非凡的、独一无二作品的艺术家会得到一份特殊的礼物，通常体现在艺术品价值的增长上。毕加索的例子碰巧发生在他还是一个年轻人时，他的余生受益于“极独特的风格”。而维米尔和凡·高的独特风格在死后很久才被发现，为此他们并没有得到巨大的利益回报。

或许所有伟大艺术的本身就是一种回报——许多人认为运气仅仅是才华的一小部分，并且总说艺术家被赋予了才华这样的礼物有多么幸运。即使如此，艺术家活着的时候如果能够得到更多的重视，更成功地出售他们的作品，世界应该会更完美一些，你认为呢？

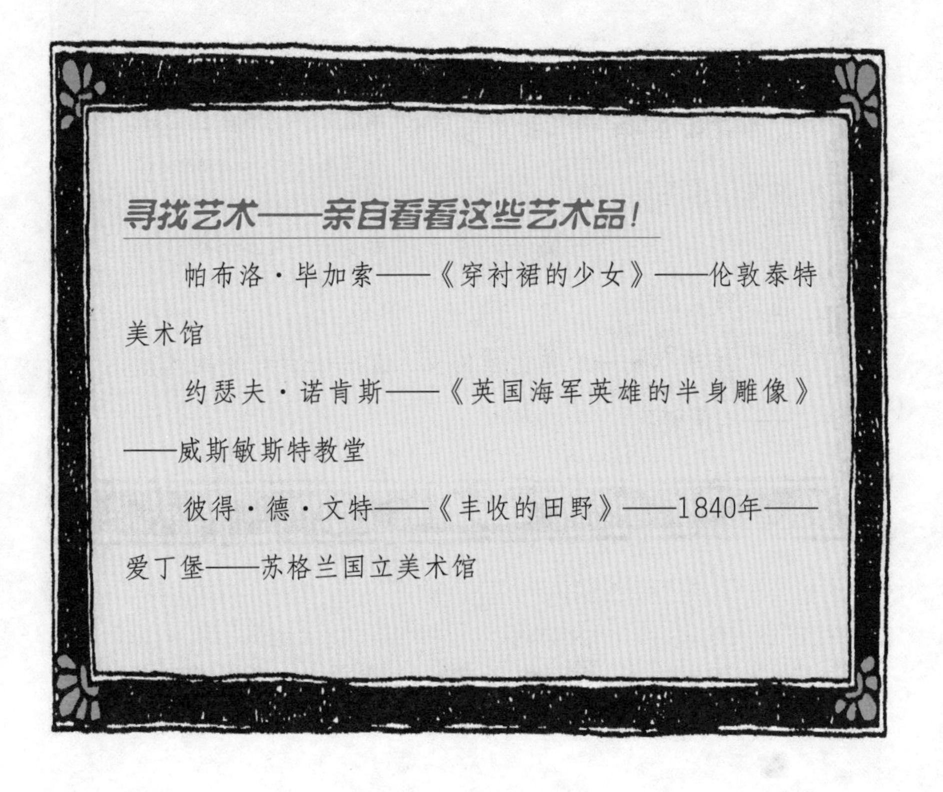

寻找艺术——亲自看看这些艺术品！
帕布洛·毕加索——《穿衬裙的少女》——伦敦泰特美术馆
约瑟夫·诺肯斯——《英国海军英雄的半身雕像》——威斯敏斯特教堂
彼得·德·文特——《丰收的田野》——1840年——爱丁堡——苏格兰国立美术馆

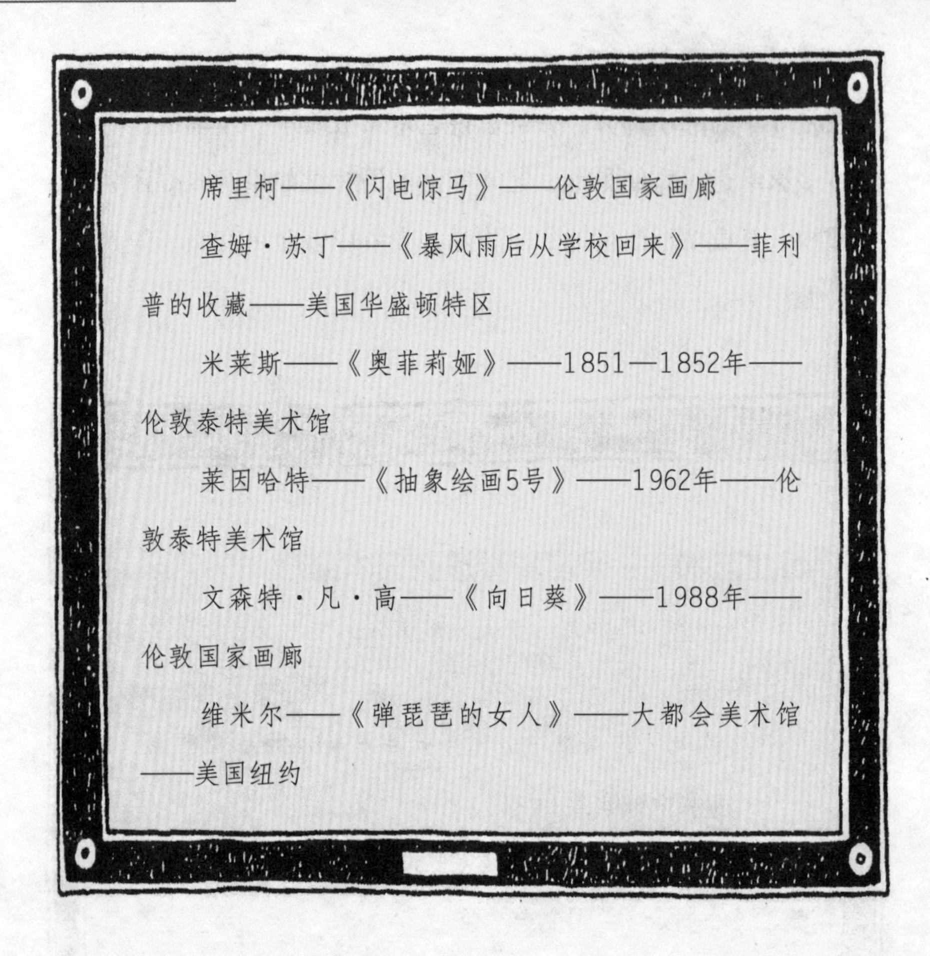

席里柯——《闪电惊马》——伦敦国家画廊

查姆·苏丁——《暴风雨后从学校回来》——菲利普的收藏——美国华盛顿特区

米莱斯——《奥菲莉娅》——1851—1852年——伦敦泰特美术馆

莱因哈特——《抽象绘画5号》——1962年——伦敦泰特美术馆

文森特·凡·高——《向日葵》——1988年——伦敦国家画廊

维米尔——《弹琵琶的女人》——大都会美术馆——美国纽约

利用艺术诈骗

一些百万富翁级的艺术明星非常得意地告诉你，从艺能赚许多的钱。这并不仅仅指一些偶尔画得相当出色的艺术家——有许多其他的人在艺术市场之中，也获得了大量的利益。他们中的一些人依靠努力的工作——一些人凭借令人难以置信的好运——另外一些人则用欺诈来赚取大笔的钱。这些就是为什么他们成为艺术商的原因吗？

不要如此的不恭敬！不，这些当然不是他们成为艺术商的原因……而是他们成为不法艺术商和艺术伪造者的原因……像汉斯·凡·梅格雷所做的那样。

汉斯·凡·梅格雷——诡计多端的逃避者（1880—1947）

有时油画商会发现自己缺少一两幅市场追捧的杰作，于是他们扮演了艺术的伪造者。他所做的一切仅是挑选画笔和调色板，并且非常热衷于“亲自去做”。这就是荷兰的艺术家汉斯·凡·梅格雷通常所做的一切。梅格雷是一个荷兰油画商，他一生伪造了许多“名作”，然后卖给不知情的顾客。他的部分伪作被称为“超级伪造品”，甚至蒙骗了艺术界的专家。1937年时他们曾形容梅格雷的油画《耶稣和他的弟子》为“维米尔最伟大的成就”！

梅格雷相当的心灵手巧，当他成为油画界顶尖的造假者时，

他甚至设法蒙蔽了德国政客赫曼·乔治，在“二战”期间卖给了他一幅伪造的维米尔名画……然而，这个走路像鹅一样的魔鬼般乔治暗中已有打算！

心灵手巧的梅格雷怎样愚弄可恶的乔治（恶劣的诡计）

因此对于梅格雷而言，他现在必须做的就是将得到的假钱存进一个骗子银行。

扯出另外一件事——阻碍调查

战争过后，可恶的乔治收藏的油画被盗了，其中一部分被发现藏在一个盐矿里（也被偷了）。它们中有从梅格雷手中买来的伪造维米尔的画。很快，荷兰警察来到梅格雷的家。

“怎么了？”梅格雷问。

“怎么了……怎么了，你这个卖国贼！”警察们怒吼，“哼哼，好你个梅格雷！我们将逮捕你，因为你卖艺术品给敌人！”

“我没有卖艺术品给纳粹！我骗了他们——我卖给他们的是伪作！我是一个真正的荷兰人。我是一个造假者，而不是一个令人憎恨的通敌者！”梅格雷辩解。

“你能拿出仿制品吗？”荷兰当局者说，“你再拿出来一个——你这是阻碍调查！”

“我是一个真正的伪造者！”梅格雷狂喊，“所有我的伪造品都和真的一样。”

“证明给我看！”当局者命令。

“好的，我会！”梅格雷说。

他们给了梅格雷颜料、画笔和画布，然后把他锁进了一间四壁空空的房间。梅格雷开始作画。过了一会儿，专家们偷偷地看他干得怎么样了。他们简直不能相信自己的眼睛！一幅维米尔的画出现在他们眼前！

“哇！”当局者说，“我们错了。你并不是一个假的造假者——你是一个真正的造假者——赝品杰作的制作者！”

梅格雷并不是唯一能骗过专家的狡猾的伪造者……

狡猾的艾瑞克的双重诈骗

艾瑞克·赫本（1934—1996）伪造了大量的安东尼·凡·迪克先生（1599—1641）和哥万尼·巴斯塔·派里斯（1720—1778）（他的签名一定已经伪造了一批）的赝品油画，然后将这些画卖给了世界各地的美术展览馆和博物馆。最终，艾瑞克被逮捕了，因为一些人注意到他在伪造这两位不同艺术家的画时使用了同样的纸（不，决不会是同样的纸，应当仅仅是同一种类型的纸——艾瑞克并不是傻瓜！）。

他被识破之后，他决定洗心革面并且弥补所有的过错。他写了一本关于他一生的书，在书中列举了曾经卖掉的所有赝品画和购买这些画的美术展览馆的名单。同时，由于天生喜欢恶作剧，他忍不住在名单中还列举了一些事实上根本不是赝品的油画！这令鉴定专家们慌乱起来——因为他们根本分不清哪些是真迹、哪些是赝品！

1996年，可怜的他在罗马的街道上被人谋杀了，或许是被愤怒的艺术专家们谋杀的。

你已经明白狡猾的骗子喜欢什么了吗？为什么不从以下两个相关联的活动中发现原因？在完成它们之后，你可能会认为第一个活动中有些欺骗——但是接下来你就会确信第二个的真实品质……诚实！

创作你自己的原创的伦勃朗作品——然后为了一大笔钱卖掉它！

伟大的荷兰艺术家伦勃朗·凡·瑞金（1606—1669）的作品具有惊人的价值。无论何时他的作品被拍卖，总有百万富翁级的艺术收藏者毫不犹豫地去签支票簿。在创作油画精品的间隙，瑞金喜欢画一些钢笔素描，画出那些不完美的、衣衫褴褛、孤独而凄凉的乞丐们，并且让他们的躯体有一些残缺或损伤。可能还有几幅这样的素描没有被发现。如果你能够“创作”一幅相当好的此类素描赝品，在国际艺术市场上将价值不菲。感兴趣吗？兴奋吗？想成为拥有几百万或更多钱的富翁吗？继续读下去！

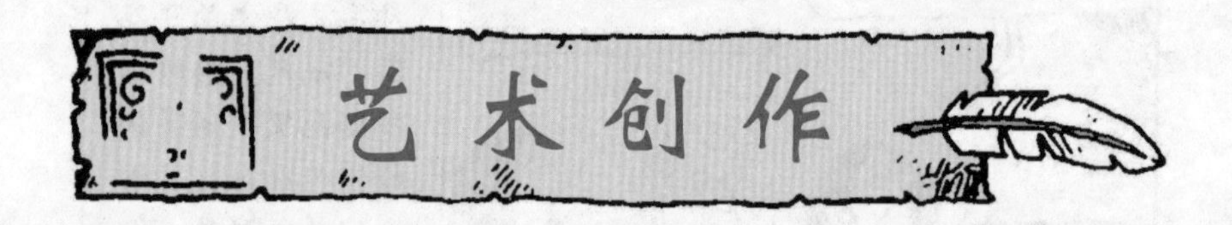

你需要的东西

这是相当重要的，在你做赝品时要忠实于当初艺术家所用的原料。立刻丢掉那些不符合条件的厚硬纸板和不切实际的想法！伦勃朗是一个严格地使用“羽毛和肉汁”的画家。不，这并不意味着伦勃朗用肉汁作画——“肉汁”是一种加水将烟灰熬干，然后提取的棕色颜料。如果你没有烟灰，可以用腐烂的苹果汁替代。

▶ 一本包含了伦勃朗绘画的翻版书——去研究和临摹这些绘画，以揣摩伦勃朗绘画风格的一种“感觉”——不要沮丧，要不断尝试，像原创真品一样出售它。

▶ 一些绘画用纸——越旧越好。去周围的旧货商店或二手书店找找（不要想着用上面带着你父母的名字和家庭地址的华丽的信笺纸，仅这一点点失误，或许会令你的整个游戏失败！）。

▶ 一把锋利的小刀。

▶ 一位助手——千万不要是那种明显愚笨、弱智的傻瓜，一定要聪明伶俐、乐于助人。

▶ 许多真正腐烂透顶的苹果。

▶ 一只白鹅，你会发现下面的这些要求会令你疑惑，这些是……

▶ 一片芦苇滩——时常会在潮湿的地方找到，而不是家具商店。

▶ 一些绿色的柳条、枝条等，依然很新鲜、带着汁液。

▶ 一个相当好的救助箱。

你必须要做的一切

▶ 去芦苇滩并且找到白鹅的踪迹——偷一些它的羽毛。

▶ 快跑！当你和你的同伙踉跄着、恐怖地尖叫着通过沼泽区，并且极力逃避愤怒的白鹅时，最好抓紧满把的芦苇。

▶ 回家并且用绷带包扎好你的伤口。

▶ 感觉好吗？好极了！开始工作！现在你已经有了足够的芦苇和鹅羽。修剪一支羽毛的毛刺，然后顺着一定角度剪去底端。用那把特别锋利的小刀做这些。做这些会花费一些时间，但一定要小心！这是一项技巧性极强的工作，你一定会完成得很好……哦耶！

▶ 用绷带包扎你的新伤口。

▶ 完成修剪和削“鹅羽”的工作。这是你的笔。不要想着将那只鹅放进围栏，即使它正在花园周围奔跑或正在啄你的奶奶——这只鹅只是一支画笔，记清了吗？这是伦勃朗画素描用的笔。现在你需要用刀在笔的底端划一条缝，这样将会有助于你的“苹果汁”墨水更通畅地流动（古代的涂鸦者和艺术家用“钢笔刀”制作芦苇和鹅毛笔，它们一直被这样称呼，即使时常被另做他用。）。

▶ 拿出这些腐烂的苹果，从中挤出汁来。不会有太多——但是接着再挤——让你的助手吃掉剩余的苹果实在不是什么好的主意，不是吗？

▶ 开始画了。在苹果汁里蘸一下你的鹅毛笔，然后开始素描。你的助手是你的模特，描绘他的全部样子然后放入一些特殊的细节。不要忘记——要假设是由伦勃朗在画一个乞丐，注意力集中在模特悲惨的、孤独而凄凉的神态上，例如难过的表情、啄破的伤口、破旧而粘满了泥土的衣服。

▶ 当绘画完成后，你的朋友也停止了哭泣，用新鲜绿色的枝条点一堆火——烟越大越好。在火上举着这幅画。烟会使这幅画呈现出很古旧的样子。但是一定要小心——这也是一项极度令人不舒服和可能受到伤害的工作——（你总是能够去请你的朋友来完成这项任务！）。

▶ 准备在你的杰作上签名吧——你必须颠倒着做这些。

有用的提示：为什么不让自己从翻来覆去颠倒这张纸的工作中解脱出来。找到一张伦勃朗的签名复制件，翻过来颠倒它。开始复制！这也是熟练的伪造者们常用的方法。

重要提示：伦勃朗时常既在画的前面也在画的背面签名。所以他总是这样签他的全名：伦勃朗·弗拉夫肯斯·塞德乔洛兹·蒂克贝尔·柯勒·维尼·琼斯·凡·瑞金。确信已经将这一切做得非常完美。但当你出售这幅赝品时，还是别忘了引开买画者的注意力。

偷一幅名画——卖它……再次卖它……又一次地卖它

有时一些狡猾的拙劣画匠（窃贼们）会召开充满了艺术气息的茶点聚会，聚集在一起精心策划各种赚钱的方案。这些计划通常是窃取最有价值的绘画……像《蒙娜丽莎》。这幅著名的油画是由意大利著名艺术家列昂纳多·达·芬奇（1452—1519）画的。那是一幅意大利贵妇的肖像画，她看起来仿佛刚刚听别人讲述了一个400年前的有趣笑话。如今，这幅独一无二的艺术珍品被从窃贼那里取回，由精密的尖端电子安全系统予以保护。但是在80年前或更早一些的时候，情况是完全不同的。

巴黎
1911年

饭后谈资

戒备不严的卢浮宫痛失列昂纳多的美丽贵妇

所有的法国人都震惊了。今天早晨，我看见一群成年男人在巴黎宽阔的马路上哭泣。为什么？

因为我们的国宝丢了。不，不是我们喜爱的埃菲尔铁塔……它依然安全，感谢上帝（政府已经非常好地把它围起来了——你知道，我们法国人不傻）。我正在谈论的是……蒙娜丽莎。她不见了，毫无疑问，一些卑鄙的坏蛋趁她不注意的时候将玻璃上划了条缝，然后把她从里面抽出来，偷偷塞在衬衫下面溜走了。因为她是一位古老而尊贵的女士，待在古老而尊贵的博物馆，没有刺耳的警报，没有挣扎，她安静地走了。

现在她在哪里？很明显被囚犯放在地下室，不给食物和水。世界将会发生什么变化？我们知道，那就是人们在晚上上床睡觉前，必须锁紧各自的门！

这则消息的第一句话应该正确理解为“今天早晨，我看见一群成年男人在巴黎宽阔的马路上打扫卫生”。

彼尔·克劳塞——编辑——一点微不足道的闲谈

在蒙娜丽莎被偷后不久，很多对艺术非常尊重和感兴趣的法国人，对大胆窃贼的行为感到极为不安和愤怒，成千的人去卢浮宫观摩曾经悬挂油画的那堵可怜而残破的墙。

法国警察动用了一切力量寻找罪犯，他们甚至将帕布洛·毕加索作为嫌疑犯讯问。或许他们认为毕加索偷走油画是因为嫉妒达·芬奇。

偷窃事件发生不久，蒙娜丽莎被犯罪分子卖给了一个富有的美国艺术品收藏者……然后又卖给另一个富有的美国艺术品收藏者……另一个……然后另一个……所有的加起来，6个美国富人各花了30万美元买这幅油画。作为唯一的蒙娜丽莎真迹，究竟怎么了？

1. 卖掉这幅画的贼，迅速再次从拥有者那里偷走了画，知道这个消息的人没有向警察揭发贼，由于画已经被偷走了，而且他们不想因为销赃被告发。于是这伙人立刻又卖掉画……再偷……再卖……一次接一次的！

2. 这些贼们制作了许多原始的彩色照片，卖给富人们，这些百万富翁令人难以置信地愚蠢和近视。

3. 盗窃新闻上了头版头条之后不久，这伙犯罪分子拿出他们手头所有的蒙娜丽莎的赝品画及绘画工具，命令众多的孩子夜以继日地完善这些画，他们从中选择了6幅最好的油画卖给富有的艺术爱好者。然后，将其余的画卖给了欧洲。

4. 一名专业的伪造者仿制了6幅与真迹难分真假的蒙娜丽莎的赝品，然后卖给艺术收藏者，他们每个人都被告诉这就是被偷的那幅原画——绝对没有问题！

答案

4。整件事情由一伙狡猾的骗子所安排。他们首先组织了蒙娜丽莎真迹的被偷事件，然后劝说6个富有的美国艺术收藏者为所购买的蒙娜丽莎支付了30万美元。事实上他们买了杰出的赝品制造者雅文思·乔登的6幅赝品画。显然，这些富有的美国人拥有的钱比识别真假的感觉多得多！

然而，蒙娜丽莎真迹恰巧落在被这伙人雇去偷画的人手里。

他偷了画，首先从卢浮宫……后来又从这伙骗子手里！当他1914年企图将这幅真迹卖给一名意大利画商时，他被逮捕了。油画又回到了卢浮宫。

并不是所有的艺术窃贼都完全按照操纵他们的人的意志行事。

更多“转移”的故事

快！跟上那辆公共汽车！

1989年，一个醉醺醺的男人走进伯明翰城艺术展览馆，摘下油画《饶舌者之死》。然后带着这幅价值25 000英镑的艺术品跑到大街上，并且逃跑了——在一个双层公共汽车上！

格林……格林……完蛋了！

令人讨厌的赫尔曼·格林比伯明翰的那个人更具野心，并非是只偷一幅画的问题，他盗窃了5280幅画。他可能是世界上最贪婪的艺术窃贼。

他从他那瘟疫般的同伴，可怕的阿道夫（希特勒）那里得到一些小小的帮助。可憎的格林走遍了全欧洲的博物馆和展览馆，从那里拿走了无数的名品杰作，包括伦勃朗、鲁宾斯（1577—1640）和戈雅（1746—1828）的作品。到“二战”结束的时候，这个可恨的纳粹掠夺来的杰作挂满墙壁的整个空间！但他几乎从来不光顾这里，对这些偷来的艺术品根本没有太多兴趣。

月刊
第三期
艺术和
古玩
收藏者
本月话题：
我和赫尔
曼·格林
的收藏品

这一期的收藏者话题是纳粹德国的赫尔曼·格林先生。格林先生收集了非常多的欧洲杰作，把它们放在各种地方……像坚固的别墅里……牢固的盐矿中。我们参观过这幢别墅，但首先向他承诺一定保守这个地方的秘密。很显然，许多人都想和他聊聊这些收藏品（或一两个别的问题）。事实上，在我们去别墅的路上，我们见到了英国的炮兵军官和上千的美国士兵，他们正忙着穿过一个德国的坦克区。这些人问我们是否认识他们正在寻找的赫尔曼·格林。

他是一个受欢迎的家伙，不是吗——但可以肯定的是，所有找他的人并不是为了给艺术杂志做专访——会是吗？

好吧，最后我们终于到达了格林塔，穿过了成群的纳粹党卫队……我们环顾格林的艺术收藏品。

实在太庞大了！里面容纳了数以千计的伦勃朗、鲁宾斯和戈雅等著名画家的名品杰作。当我凝神看这些画时——我不禁想起曾经见过这些画——在整个欧洲博物馆的墙上，确实如此。

当我冒险向格林先生提到这些时，他变得有些恼怒，并且命令纳粹党卫队将我带到地窖里，在那里，他们将我绑到墙上，整整严刑拷打了一上午。

下半夜，当突击队员将我弄上担架，经过剩下的一些收藏时，我决定不再提这件事。

当我离开格林塔时，我前面向你提及的美国和英国的艺术爱好者已经到达了这里，他们和纳粹党卫队展开了短兵相接的激战。这一刻赫尔曼·格林突然打算放弃艺术，准备在仓促中烧掉所有的收藏品。

下一期的话题，我们将谈论柏林的希特勒，关于他收集别人的国家这个不寻常的爱好，我们将探询他的兴趣所在和迅速减少的收藏。

一旦格林意识到盟军注定要赢得这场战争的时候，他计划无情地摧毁所有的收藏！幸运的是在他完成这些之前，他被捕了。他只有通过自杀结束了自己的生命。这些收藏品得以回到真正的主人手里……但是又会怎样呢？

无论如何，究竟这是谁的艺术？

这是一些不可理喻的理由，格林实际上认为他强取豪夺来的艺术品是他的私人财产，换句话说，他自认为是这些艺术品的真正主人，虽然任何其他人都不会这么认为。但有时谁是艺术品的真正主人这个问题相当复杂，尤其是当原始艺术品已经不在其所属国很久的时候。

当时，欧洲的一些国家创建自己的帝国和征服其他国家时，许多早期的征服者和冒险家非常喜欢从他们所到之处带一些纪念品回来——像数量众多的奴隶，或者一个埃及金字塔里的全部宝物。西班牙人相对于金银而言更热衷于秘鲁人远古的艺术品，他们带了非常多的艺术品回到西班牙——当然，他们已经杀掉了最初的拥有者。

当英国人和法国人发现原始金字塔里的金银财宝时，他们认为“借走”这些物品理所当然——但他们常常忘记归还！那是相当可能的，若干重要的英国艺术收藏品将永远也回不到最初的地方了。

原始艺术品离开最初所在的国家，偶尔会导致国际间的纷争。

我们能够要回自己的大理石吗？

19世纪初，艾尔吉伯爵从希腊“获取”了一些大理石。并不是操场上的大理石——而是一些大理石雕刻品，这些雕刻被放在众所周知的古希腊帕特农神庙上。艾尔吉伯爵来到这里并且“获取”了它们，然后“运送”回英国。当时希腊人被土耳其人统治，贫穷而没有地位的希腊人根本没有表达要还是不要这些雕刻的机会。伯爵显然认为整件事情是一个绝妙的构想，尤其当他将这些大理石以35 000英镑卖给不列颠博物馆时，更觉无比得意（那时这可是一笔天文数字的钱）。

这些雕刻品作为艾尔吉大理石而著名。后来，希腊人非常想要回它们，但不列颠博物馆认为这些属于自己，因为已经付过钱了。希腊政府和英国政府开始了一场争吵，这些大理石究竟属于谁……然后流着泪跑回去将整件事情告诉自己的妈妈。

一个奇怪的现象是，希腊人从来没有想过将一些原始的英国艺术品“获取”和“运送”到自己的国家，以换回自己的艺术品吗？一定有一些原始的艺术品坐落于某处，能够让他们“借用”。会不会是……索尔兹伯里平原的一堆碎石。没有人会这样想的——他们会吗？看看这份报纸的标题！

斯通亨治被希腊人绑架

“我们要和你们作一个交换，”希腊人说，“还回我们原始的大理石……并且我们将给你们的原始的斯通亨治巨石，我们会严格遵守多米诺骨牌理论（一个倒，全部倒，牵一发而动全身——译注。）！”

有些人并不窃取艺术品——无论什么时候遇见令他们着迷的艺术品，他们都有足够的钱买得起。这些富有的艺术收藏者有足够多的手段寻觅他们喜爱的艺术品。

如何追查你自己的真正的杰作

一个百万富翁的艺术品收藏家的生活一定是纷杂而容易混淆的。威廉姆·鲁道夫·赫斯特居住在加利福尼亚，是一位成功而出众的报纸发行商。他将众多的艺术收藏品放在一幢超大的宅第中，并谦虚地称之为赫斯特城堡。

一天，赫斯特正在浏览一本很旧的杂志，突然注意到一件非常精美的银器艺术品的照片。他立刻喜欢上了这件银器，于是说："我一定要拥有它！"他认为这件东西一定在英国的某个地方，于是立刻给那里的代理人打电话，让她寻找这件作品并买下来。经过艰苦的寻找后，代理人与赫斯特先生联系，告诉他根本找不到这件作品。赫斯特不是一个轻言放弃的人。他雇了一名私家侦探并且说："根本不用考虑费用，找到那件艺术品……我一定要得到它！"

这名超级侦探在一番追查之后回来了，他完全有能力向赫斯特汇报，已经成功地发现了艺术品的所在之地。

他6年前就买了这件银器，然后彻底地忘记了。银器仍然待在赫斯特城堡里。他给了自己一个很好的教训，知道谁才是真正的拥有者了。

是艺术疯子，还是别的?

假如并不存在像威廉姆·鲁道夫·赫斯特这样的艺术爱好者，那些画商——或许还有伪造者和窃贼们——都将失业。这些人大都依靠众多对神秘而特殊的艺术的爱好者而生存。这无可怀疑——许多人都是艺术疯子—— 一定是……为了大型的艺术展，他们成群结队地去参观。

- 1994年，超过296 000人去泰特美术馆看毕加索的展览。
- 1974年，超过771 000人在皇家艺术学会参观中国艺术展。
- 1995年，7000人在泰特美术馆排队参观丹蒙·荷斯特的半头母牛和半头小牛（门票会半价吗？）。
- 1972年，超过1 006 940的人去不列颠博物馆参观古埃及艺术展（肯定不是在同一时间！）。

确实如此，人们真的喜欢看这些艺术品……如果有足够的钱，他们也会买一些。但是为什么要在艺术上花如此多的钱？毕竟，它们既不能吃，也不能穿，甚至不能开着它穿越大街小巷。为什么要买？

非凡的艺术的调查——为什么人们收藏艺术品？

一些知名的艺术品收藏者接受询问，他们在什么上面花钱……并且为什么。下面是一些他们的答复：

自从缪塞以来，这幅艺术品是最好的。注定会升值。我建议你立即买下这幅作品。这是一个天才的作品……太好了，是的，的确是我画的！

诺曼这个月末退休，因此我买了这幅一个人被一群狼威胁的画，想让他记住当邮差的愉快的日子。

我买这个是因为它讲述了关于我是谁的一些事情：我把它放在经过我的房子的每个人都能看见的地方。我要向他们表明我是一个敢于尝试的人。我要告诉每一个人我是一个成功者并且了解艺术界的一切。实际上并不是这样，但那不重要——是吗？

我禁不住3个脚趾树獭的诱惑。我将把索拉·比利最大的收藏品放在东边的房子。这就是我为什么要买列昂纳多的明信片复制品“除夕夜3个脚趾的树獭被驱逐出天国”，你曾经见过这么伶俐的小树獭吗？你注意到这双眼睛跟随你满屋乱转了吗？

这些关于艺术收藏的回答，一定令你非常想成为一名收藏家。

开始你自己的艺术品收藏

“我愿意成为一名艺术收藏家！”你或许会说，“但是我买不起——这样将会一直背着银行贷款，而且我还要去买谋划已久的健身器！”不要失望，只要你的口袋里还有一点点钱，那就可能去买一些便宜的艺术品。为什么不去看看：

▶ 约克商店，旧杂货拍卖店，跳蚤市场——你会惊奇地发现这些买卖并不吃亏，通常只需要支付10或20便士——唯一重要的事情就是用你的眼睛进行识别，并且完成买卖。你大概不曾知道……如果你真的走运，或许还会带回家一只奇怪的跳蚤！

▶ 你自己的顶楼——一些人曾在他们的顶楼，被意想不到的艺术财宝绊了一跤。

立刻开始寻找，但是记住，顶楼是一个危险的地方——你或许需要一个大人帮你。

警 告!

对于一层的居住者——如果你在这一刻正在顶楼上搜寻艺术品——停止！这不是你的顶楼——那是你楼上居住的人，而你恰恰偷了他们最好的茶具!

▶ 拍卖（在这里艺术品被卖给出钱最多的人）。

拍卖会上许多艺术品被拍卖，在这里购买艺术品的人们偶尔会买到一些便宜东西。一个叫菲利普·帕克的艺术商人参加了一场由知名艺术品拍卖家索塞拜主持的拍卖会。一幅画吸引了他的注意力，他花了180英镑买下了它。后来他将这幅画拿到了另外一个著名拍卖家克里斯蒂主持的拍卖会上。这幅画再次被卖出，价钱稍微比菲利普支付的价钱多一点——确切地说是38万英镑。

在这两场拍卖会之间，菲利普赚了30多万英镑，仅仅是通过他敏锐的观察力和丰富的艺术知识。被菲利普看中的这幅画被证明是由文艺复兴时期的艺术家皮翁博所画的一幅重要的老人肖像。菲利普明显具有搜寻这类便宜东西的嗅觉——在商界的朋友们称他为“嗅觉灵敏的帕克”，实际上他也以拍卖会上的“吸尘器”而著称（因为他成功地淘出了许多低价艺术品）。

重要提示：如果你想参加一场艺术品拍卖会的话，在拍卖会正在进行的时候，不要举手问厕所在哪里——否则你会发现你已经买下了爱德华时代国家公馆内所有的物品。

▶ 另外一个买便宜艺术品的途径是发现一个很可能会成功，但还在苦苦奋斗的艺术家，他们会非常便宜地出售他们的作品——或许从来不知道——你的学校或街巷里也许就会有人成为21世纪的毕加索。其技巧就在于尽早发现他们的才能，在他们成名之前迅速得到他们的作品。这颗冉冉升起的新星也许还不曾想到为他们的作品要价，他们可能会非常高兴你用一些足球卡和糖果来交换他们的作品。

不能等到我长大才出名，我想现在就出名！

如果亚历山大·尼切塔一直在你的学校，并且她还是一个在奋斗之中的不知名艺术家，你正想买一幅她的作品，你要尽快提出要求。尼切塔1986年出生在罗马尼亚，现在居住在洛杉矶。自从她的家庭搬到美国之后，她的事业发展得非常迅速。

▶ 当尼切塔2岁的时候，她开始用钢笔和墨水画画。

▶ 当她5岁的时候，她开始用水彩画画。

▶ 当她8岁的时候，她在当地图书馆办了个人作品展，而且作品展非常成功。

▶ 9岁的时候，她一共举办了7场个人艺术展，在不同艺术展馆展出她色彩亮丽、充满幻想的作品。

▶ 她10岁的时候已经卖出200幅作品。

▶ 收藏者们已经为她的作品支付了250万美元。

▶ 她的每幅作品都要卖10万美元，即使这样还有许多她的作品收藏者在排队等候购买。

一些购买者显然是真的喜欢尼切塔的风格，另外一些是把它作为一个好的投资，希望这些作品的价值会超过他们所支付的10万美元。没有任何东西保证这些画会升值。一些艺术家也许不会再走红，他们的作品或许会完全地被艺术界所遗忘。这时这些作品的价格会大幅下跌。在艺术上做商业投资是一种冒险——尤其是如果你没有足够的钱支付第一笔购买资金……

邦德先生的高度冒险

一个叫阿兰·邦德的澳大利亚商人，决定去购买文森特·凡·高的名画《彩虹》。他借了一些钱，支付了超过3000万英镑的拍卖价款。不幸的是，阿兰最终还是不能偿还他的负债。他被迫把这幅画卖给了美国亿万富翁的艺术收藏家金·保罗·格蒂，以一个极低的价格2500万英镑。用一个数学公式来解释这场交易会更清楚一些，3000万英镑－2500万英镑＝唉！（如果你是邦德先生）……或者＝太好了！（如果你是格蒂先生）

小结

或许人们购买艺术品最好的方式首先是确信喜欢它，接着确信是否买得起它——这样他们就会是在享受。如果偶尔它升值了就算作是额外的奖励——只要他们所喜爱的艺术作品没有被证明是被偷来的……或是被伪造的。

寻找艺术——亲自去看看这些艺术品

凡·梅格雷——《超级艾玛乌斯》——荷兰鹿特丹的博曼斯博物馆

伦勃朗·凡·瑞金——《斜靠在一根棍子上的乞丐》——荷兰阿姆斯特丹国立美术馆

列昂纳多·达·芬奇——《蒙娜丽莎》——巴黎卢浮宫

艾尔吉大理石雕刻——伦敦不列颠博物馆

一些早期的创作

到处寻找便宜买卖的艺术收藏者都会极端嫉妒美国探险家约翰·路易德·史蒂芬，他在1839年抢购了一大笔艺术珍宝。他买了一座艺术之城……仅仅花了几美元！约翰和他的艺术伙伴弗瑞德·凯瑟伍德在中美洲的森林里探险，他们发现了古玛雅人几千年前建造的库帕城堡遗址。拥有遗址的人认为这里毫无价值……他只要了50美元就卖给了约翰。

弗瑞德是对的——在所有的古代文明中，艺术的确很重要。大多数古代社会的统治者很快发现艺术家非常有用——尤其是如果他们坏脾气的神带来麻烦时！

一个古代统治者的日记摘录

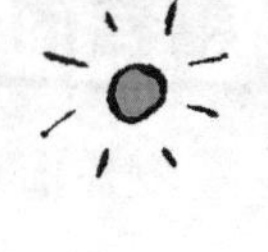

公元前64005000年，晴天，12日
（恐龙时代之后）

多好的天气！阳光明媚，渡渡鸟在歌唱，庄稼长势繁茂，神们很愉快，所有的一切都那么美好！

坏天气，13日

哦，灾难！灾难！灾难！灾难！

神们发怒了！一些人（我？！？）昨天晚上睡觉前忘了给他们鞠300个躬，因此作为惩罚，他们在晚上派了一队跳木屐舞的河马在庄稼地里狂欢，我们的庄稼毁了！我们将要饿死！究竟怎样才能让我们的神重新高兴呢？

阴沉沉的天，14日

给了神们两头被煎烤过的水牛和6个带着小纸条的奴隶，纸条上写着："原谅我吧，关于鞠躬的事情。"还不高兴！他们说上星期已经有了美味可口的奴隶。如果我们不能比上次做得更好的话，他们将点燃火山上的蓝色导火线，将我们覆盖于又红又热的火山熔岩中。他们给了我们两天时间，来想出真正令他们欣喜若狂的好主意——而不是别的！

我们该做什么呢？

糟糕的天，15日

事情越来越糟糕了！高级祭司能想到的就是刚刚已经供奉给了海之神的……只是一对大虾！你认为能行吗？我们正在供奉的是在一个下午创造了整个印度洋的神！无疑，神感到被侮辱了！不能说是我责备祭司！备忘录：记着！将高级神父喂了鲨鱼。

作为海之神的祭品——神们会教他的！

更糟的天，16日

24小时过去了！不必惊慌，一定要苦思冥想！我们需要一些真正能让神吃惊的礼物。一些特殊的、他们不曾制造的东西。这是一件困难的事情。毕竟，神们创造了整个世界……而我们人类却十分渺小！

我们需要一些完全原始的……美丽的东西。是一些神们不曾想到或者自己没有创造的东西。就是它了！当然了！我们需要的是“一些特殊的礼物给已拥有一切的神！”我想应该和工匠们说句话！

变好的天，17日

哦，太好了！哦，太好了！哦，太好了！我们得救了！这些工匠们整晚的工作，今天早晨将最美丽的创造献给了神。神们驱走了月亮！太阳又重新开始照耀大地了，庄稼又开始生长了，渡渡鸟又在欢乐地歌唱了！（别的东西都被河马踩烂了，虽然这一点看起来有些扫兴！）

在古代文明之中，有许多艺术品是为神而做的。在学校里待了太长时间的人（比如教授）是不会理解这一切的。他需要去和古代的艺术家聊一聊以发现其中的秘密。

三千年的秘密终于被披露——古艺术家讲述了一切

艺术家：听着！我们在那个时代被称为艺人或工匠们，是因为我们在某些方面拥有天才或专业技术。这些天才们（听起来有些自夸）创造的东西看起来是令人吃惊的，使人敬畏的，让人愉悦的。我们建造了美丽的寺庙让神居住，并且进行绘画和雕刻，就像下面所说的……

神是绝对神圣的，这是我们表达敬意的一种方式。

教授：哦，雕刻在说话！

艺术家：不，仅仅是一些愚蠢的东西（真的，有点像你）。你知道，我们不是怀特·迪斯尼。我们会尽最大的努力，因为我们知道，一个特殊的艺术越是辉煌，神就越高兴，所以一些真正壮丽的东西被制造了出来。我们也知道，神也是虚荣的，所以我们为他们制造了栩栩如生的肖像和雕刻。

教授：（惊讶地！）但是如果看不见他们，你怎么知道他们长得什么样呢？

艺术家：（微笑）我们艺术家们确实知道神们长得像什么。我们具有特殊的魔力和智慧（向教授眨了眨眼睛）。不要去提什么难以置信的想象力……好吗？（开玩笑地用肘挤了挤教授，并且又一次微笑地向他眨了眨眼睛。）还有一些神就是一个妖娆女子——像古埃及的猫神！我创作了她。她是一个创作。

猫神，长官？别急——我将把斯芬克斯像的脑袋取下，再安上一个猫的脑袋……周二就会做好。

教授：一个创作？

艺术家：对，一个创作。并且创作她是容易的——她看起来有点像……

教授：一只猫？

艺术家：确实如此！所以我需要做的所有的事情就是做一只中空的猫，在里面放上一只老猫，然后将它放入庙中。这个真正的猫神马上就会发出轻轻的呼噜声，并咧着嘴笑，像一只……柴郡猫。领袖和人民对此极为钦佩。当他们看到我们的神像时，他们会想我们得到了多么好的神、多好的神像呀，并且说道："它太像真正的神了，我们愿意对它鞠躬朝拜，尤其是现在神的精神已经魔术般地进入了它的身体。"

教授：（非常兴奋）这就可以解释为什么那么多的古代艺术作品都是在庙里或其他被朝拜的地方了。我以前从来没有想到。我花了那么多年来研究为什么这样。我将记下来并赶紧出版。顺便问一下，那里有多少艺术工匠呢？

并不是所有的古代艺术品都是为神而造的。一些艺术品的制造是为了让统治者在死去以后能够过得快乐……

问题书

亲爱的内弗蒂蒂姨妈：

我是一个法老，我的生命就像一场欢乐的舞会。我生活在奢华之中，整天都有谦卑的仆人侍奉左右。我什么都不再需要。那你可能会问："为什么还写这个问题书呢？"好了，内弗蒂蒂姨妈，我确实有两个担心，它们就是：

1. 我的生活方式会发生什么样的变化，当我踢掉我的拖鞋时，你知道我是说当我死了的时候？我想做的最后一件事情是你意想不到的，去世后，我将发现没有了我所喜爱的舒适的皇帝宝座，也不再拥有最谦卑的仆人在左右侍奉。死后的生活不值得留恋。

2. 当我到达另外一个世界的时候，我将会做些什么……身体的活力……你知道……身体已经腐烂！我的意思是，怎么能够期望一个肉体正在迅速腐烂的小伙子还能有杰出的作为呢？我在这个世界上是一个重要的人——我害怕去想当神灵摇晃我的手臂时会发生什么？

你的忠诚的无比焦虑的底比斯

公元前2050年

下面是回信：

亲爱的无比焦虑的底比斯：

不要过于焦虑——不是一个问题！你需要做的就是让一些艺术工匠从你华丽的生活中选择美好的景象画在你坟墓的墙上。这将会让下一个世界的神明白你曾经是一个真正最好的法老。

如果你明确命令工匠们，他们也会额外地画一些你所喜爱的仆人和女友的肖像。当你到达另外一个世界的那一刻，这些图画将会奇迹般地复活，在你能够说“这是你叔叔”之前，仆人们会奉上无花果。当你和你的女友像世界末日来临一样（当然，这是不会发生的）狂舞的时候，他们会为你们准备可口的牛奶。

关于人娇嫩的身体腐烂的问题——不要担心！在去下一个世界的路上，只要严密地包好身体，一切都没有问题了。我会向你推荐一个非常好的木乃伊的服务！我保证你不会消失——将会完整地死去！

接下来，你要确信你英俊面孔的每一个细节都会非常完美地投胎转世（我相信你希望永远都是最好的）。为什么不让工匠马上画你的肖像……然后刻在你的坟墓上？

你会照我说的做吗？

再生快乐！

内弗蒂蒂姨妈

汉密尔顿公爵脚的故事

汉密尔顿公爵是一位富有的英国贵族，极为迷恋古埃及艺术。他非常羡慕法老的生活方式——对法老死亡的方式也绝对狂热！

公爵决定要以埃及法老的风格被埋葬（只有当他死的时候——当然了）。为了准备埃及风格的葬礼，他为自己买了一个漂亮的、非常昂贵的古埃及石头棺材——石棺——和一些防止他死后尸体腐烂的液体。

最后公爵感到自己病了，当他快死的时候，仆人们测量公爵本人和他的新房屋（石棺）。仆人们沮丧地发现公爵太长了，根本放不进石棺里……准确地说是那两只脚……带着脚趾和老趼的双脚，就是它们了！当公爵被告诉石棺买短了，他勃然大怒，但是，他依然指着石棺大喊：“把我折叠起来，放在里面！”

公爵死后被成功地埋葬进他的石棺。仆人们是怎么解决这个问题的？他们会怎么做？

1. 把公爵折叠起来放进石棺，就像他吩咐的那样?

2. 把公爵的尸体抛进湖里，将石棺卖给了不列颠博物馆?

3. 砍掉了公爵的双脚，使尸体的其他部分正好放进石棺——然后将双脚葬在一个小石棺里?

4. 让公爵站着，头伸出石棺的顶，然后埋葬他。但是给公爵戴了一顶羊毛帽子以抵御晚上刺骨的寒冷?

不同寻常的原始艺术——惊人的发现

亚瑟·鲍威的毫无价值的蛋糕

有时拥有原始艺术的人，并不知道自己已经得到这些。亚瑟·鲍威先生从他那招人喜爱的碟子里吃了几年的蛋糕，一直没有意识到那是一笔财富（是碟子——不是那些蛋糕！）。

当这个碟子被卖了17 850英镑的时候，鲍威先生确确实实大吃了一惊。

一个艺术专家的3个有用的提示

▶ 也许你正用一个价值不菲的古代出土文物盛食物。它是一笔巨大的财富！立刻检查下面的字迹。

▶ 怎么一团糟了！下一次——在你翻转这个碗之前，先把早餐吃完。

▶ 看看标记！上面是不是写着“古代中国的陶器（公元前1550年，商朝）。这一款不是洗碗机证明”——心里一定要准备好失望。

掉进他们的坟墓

1990年，一个美国的观光客骑着马穿过埃及伊格萨附近的沙漠，突然马消失了……紧跟着是这个美国人。原来在通过柔软的沙地时他们跌入了古埃及坟墓，在此之前没有人知道它的存在（当然除了建造者）。当一个拯救队进入这个坟墓时，他们发现一个稀有的、无价的、4400年前的、大约20厘米高的雕像……当然，还有那个美国人和他的马！

你和谁的军队？——皇帝身边不曾行动过的人

一些古代的艺术有令人费解的敬畏——和令人敬畏的费解。中国古代的皇帝秦始皇，让艺术家们为他制作了7000个与真人尺寸一样大小的士兵。每一个士兵都有独特的相貌特征、手脚和制服。

这些是世界上曾经见过的最大的、最好的、有动作的人的收藏！哦，是“不曾行动”的人……他们2000年来一直没有移动过。这些士兵被称为“兵马俑”（因为它们用陶土制成），被一些挖井的中国村民发现。

我们不知道这位皇帝有没有给这些兵马俑起名字……或者和它们一起玩耍。这并不是皇帝制作这些陶俑的原因。也许真正的原因是要创造这些士兵来保护他……在他死了以后！这些陶俑被放进秦始皇的坟墓！

多好的主意！当他们死了以后，每个人都需要这些，不是吗……一群士兵去拯救他们的……生命！究竟秦始皇想让这些士兵保护他什么……防虫子吗？

这个皇帝的想法对我们而言似乎非常荒唐。可毕竟我们生活在21世纪，我们拥有电视、汽车和电脑，相当一部分人都认

为我们自己知晓世上的一切。2000年前的人们有着不同的思想和信仰。秦始皇的确想让这些陶俑保护他，或者他的灵魂，在死后……如果你告诉他，他错了，他将命令真正的军队把你扔进铰肉机铰成肉泥。

兵马俑需要你！
唉……那一定
是这种生活！
我们将把你塑造成一个真正的人！
给你的朋友留下深刻印象！
保护你的皇帝！
在一个巨大的坑中站立2000年！

从古代世界的两个人物中，我们得到的信息会比皇帝的兵马俑多一些，这两个人是古希腊画家佐克西斯和帕哈西奥斯。一天，这两个对头决定举行一场比赛，来看看谁是技术最高超的艺术家……

绘画比赛

①
时间：古代
地点：希腊
我是古希腊最伟大的画家！

②
喂，你错了，首先，我们根本就不在古希腊。

③
我们在现代希腊！只有在经过了几个世纪以后，才能称为古希腊。

④
另外，我是最杰出的画家：每一个人都知道！

⑤
住嘴，只有一个办法解决这个问题……我们进行一次绘画比赛！

⑥
这可是你说的！回家拿画笔，我们开始画！

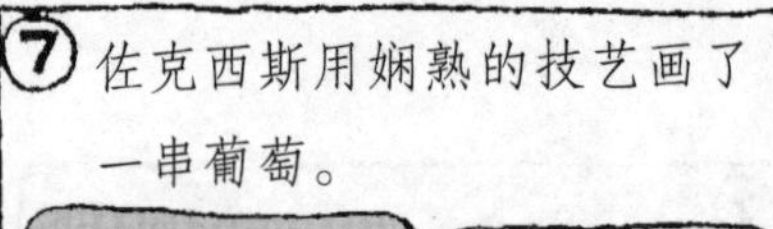

⑦佐克西斯用娴熟的技艺画了一串葡萄。

怎么样？
哇！真是叹为观止！

⑧这些葡萄太逼真了，以至于一只鸟飞下来啄它们。

哇！哇！我被他们欺骗了！

⑨好了，我想这足以证明我是最棒的了吧。你的画呢？
就在这儿。

⑩哈哈，你不用对你的画这么没信心，还用一块破布挡着它。让我来看看它！

⑪什么？这儿根本没有窗帘！你在墙上画了……一幅幕布！

⑫哇，真是难以置信。你确实是古希腊最伟大的画家！

我的嘴受伤了！

很明显，在这个故事里，帕哈西奥斯更精通绘画。他在比赛中赢得了最后的微笑，而在另外一个故事中，佐克西斯却真笑到了最后。一个老太太找到佐克西斯请他为她画一张阿佛洛狄忒——希腊美丽的爱神的画像。佐克西斯答应了她，但是接下来这个长满皱纹的、老极了的老太太要求做这幅画的模特。

这太难为他了，尽管如此，他还是开始画了起来。可是他觉得这个提议太可笑了，在整个绘画期间他一直在想，将眼前这个皱巴巴的老太太看成一位年轻漂亮的女神是一件多么傻的事情。他实在控制不住自己，于是开始大笑起来。他笑得太厉害了，以致最后笑死了（寓意：笑到最后的人……会笑死的）。

小 结

古代的艺术事实

在古代，拥有权力和极端富有的统治者命令艺术家创造精彩的艺术品。这些统治者将这些传世之作埋葬在密封的地下房间里，这些房间就是坟墓。艺术品被年复一年地藏了起来，没有人看见更没有人欣赏。

现代的艺术事实

在现代，有权有钱的艺术收藏者斥巨资购买精美绝伦的艺术品。这些收藏者买后将这些杰作密封在地下的房间里，这些房间就是银行的保险箱和博物馆的储藏间。艺术品被年复一年地藏了起来，没有人看见也没有人欣赏。

寻找艺术——亲自看看这些艺术品

公元前1400年，被画在石灰板上的舞会场景——埃及底比斯，耐特蒙坟墓中出土，伦敦不列颠博物馆

内弗蒂—阿拜特王子肖像——公元前2500年，被画在石灰板上，从埃及吉萨地下王宫中取出——法国巴黎卢浮宫博物馆

可怕的艺术

现在你已经掌握了许多关于艺术的知识，你已经明白了：

▶ 如何识别一件“好的”艺术品。

▶ 如何识别一件“坏的”艺术品。

▶ 如何识别哪些东西是“真正”的艺术品。

关于艺术有时人们会有非常不同的见解——为了证明一个观点，他们会互相大打出手。艺术的确会令人尴尬，尤其当艺术是抽象的……或者用了不同寻常的材料……或它看似简单的时候！

人们对“不一般的艺术”是怎么反映的

▶ 如果他们相当有礼貌的话，他们会说……

但是他们也可能在想：

什么破烂玩意儿！——即使艺术家付给我100万英镑，我也不会将这些无聊的东西挂在房间里！

▶ 如果他们是真正的上等人，他们或许会说：

（虽然，他们正在做的事情是给这些马展示艺术……而马是任何人的客人！）

▶ 如果他们不是彬彬有礼的上等人，他们会暴跳如雷，然后咬牙切齿、唾沫四溅地破口大骂：

什么哄骗人的东西——绝对无聊。我三岁的儿子画得也比它好！

（这些仅仅是一部分观点！）

一些别的人或许会说：“多么杰出的艺术！那些人简直是一群无知的蠢材！”

“滴落者杰克”再一次挥洒……继续挥洒……不停地挥洒

杰克逊·波洛克（1912—1956）是一位艺术家，他的绘画像《无标题》（1948）和《数字30》（1950）一样使人感到愉快，也让人看见了真的红色（加了许多其他的颜色）。

波洛克是美国纽约的画家，他的绘画的确用了一般的材料——但却使用了不一般的方法。因为他是个抽象派画家。

这意味着他不会去画裸体人像，他通过画一些你认不出来的影子、图案和形状来表达自己的感情。换句话说，他的画就是一堆各种颜色的颜料挥毫泼墨地滴溅、泼洒、挥甩成一条条、一团团的样子……（毫不夸张！）

你或许在想，“什么？真有这么精彩？如果你想看这类东西为什么不去看看我儿子的尿布？”但是，由于一些特殊的原因，波洛克的画令人非常着迷和喜爱。许多喜欢一般艺术的人也是这样想的，成千的人去看他的绘画。

或许有些人认为波洛克的画非常容易被伪造。

毕竟，任何一个白痴都能够在一块画布上滴溅、泼洒、挥甩颜料，不是吗？随意泼洒的东西没有太大区别，不是吗？哦，事实上并不是这样。20世纪60年代，在波洛克因车祸去世的几年之后，他的画开始卖到了几千美元一张，一些人就有了仿冒的想法。他们试图去绘制和出售貌似波洛克的画，但伪造者很快就被识破了。可能是因为波洛克的画里有一些特殊的东西——就是他那不会被错认的特质。

或许他有一种不能被模仿的滴溅技法或无以替代的泼洒风格——是不是像非常快的投球手、标枪手或其他体育明星一样，都有着自己独一无二的习惯动作？当杰克逊·波洛克还活着的时候，尽管他被开玩笑地起了个绰号“滴落者杰克”，但至今仍然有许多人认为他是一名艺术界的天才。

开始行动，波洛克！

当他开始绘画的时候，他总是首先在地板上铺一块巨大的画布。然后打开一罐颜料，在画布上将颜料浇灌成一条条的。当整块画布都被覆盖之后，他开始猛投、轻拂和滴洒其他的颜色在上面。

有时，为了能够画出有趣的图案，他喜欢将沙子、碎玻璃混合到厚厚的颜料层中，直到这些东西盖满整块画布。

如果他身边正好缺少这样一些材料，他就会随手抓碰巧散落在画室周围的任何东西，像油画颜料管的盖子、绘画用的别针或钉子。甚至从口袋里摸出一些小零碎放在黏黏的颜料上，这些东西多为钥匙、扣子、车票、硬币、烟头和火柴，所有的东西都将成为绘画的一部分。

古怪的材料

安全别针和用过的烟头的确不是人们所认同的绘画材料，是吗？在喜欢用身边古怪的小东西创作艺术作品这方面，波洛克并不是绝无仅有的。许多艺术家都喜欢用传统的材料，像纸和笔来进行创作，另外一些艺术家却在不断发掘并使用新型的、天然的材料来制作艺术品，并形成了自己的风格。在许多情况下，都是越古怪越好……

下面这些用不寻常的材料创作艺术品的例子中，5个是真实的，一个是故意做假的——你不会笨到发现不了它吧！

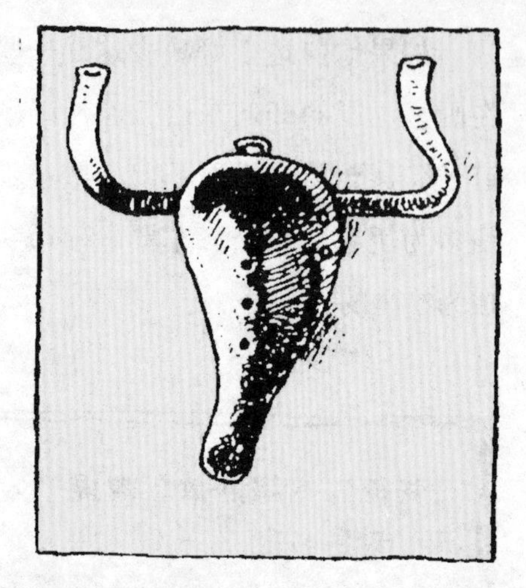

1. 自行车车把和车座。毕加索将这两样东西组合为一个牛头雕像。（此后不久，他在一场神秘的自行车车祸中受伤）。

2. 一堆砖块。雕塑家卡尔·安德烈在泰特美术馆展览了一堆砖块。许多公众都被这次展览激怒了，但是它极大地鼓舞了建筑商。卡尔的杰作给他们中的许多人留下了深刻的印象，于是他们将砖块精确复制以后放在所有的建筑场地。

3. 一条巨蟒褪下来的皮，一些绘画用的钉子和一张旧课桌。瑞典艺术家拉尔斯·德特·奥森在1972年的哈瓦德美术馆展览了这幅作品。他将蟒蛇皮钉在课桌上，称之为“维克多”。他说这象征着一位艺术家在反对教育给他带来的可怕影响时的一种抗议。

4. 彻斯通动物园的熊、一些熊的食物和一些食用染料。艺术家彼得·库特纳将熊的食物染上颜色给熊吃。然后他做什么？哦……什么也没做，只是给他的艺术品起名为《可以食用的五彩缤纷的东西》。

5. 500磅的土豆。一位南美洲的艺术家维克多·格里派放了500磅土豆在伯明翰艺术展览馆，然后他将每一个土豆连接起来，又将所有的土豆和一个测量电流输出功率的机器连在一起。他说这个展览象征着天才被藏了起来。许多人认为维克多的天才也被隐藏了。

6. 美国的一座大山和人像雕塑。

夏兹昂·波格隆把华盛顿、杰斐逊、罗斯福和林肯四位总统的头像雕塑在了拉什莫尔山的一边。每个头像

有60英尺高（大约28米）。每天都有来自世界各地的人们来参观这些纪念像。林肯总统并不是太高兴——告诉游人注意别惹他生气。

我们将在下巴那儿建立宿营地，然后去爬北面的那张脸！

答案

你猜对了明显是假的而又极傻的那个了吗？它就是第3个，很容易吧？

约瑟夫·博伊斯和鞑靼人的故事

自从在第二次世界大战中被动物油脂救命之后，这些油脂就成为德国画家约瑟夫·博伊斯喜爱的原材料。博伊斯在德国空军服役，在与苏联军队的一场战斗中，他的飞机被击落了。

不幸的是，他当时就在飞机里面。一群巡逻的鞑靼人（苏联的一个游牧民族）发现了他和那架已严重损坏了的倒在雪地里的破飞机。

鞑靼人没有理会飞机，而是把博伊斯带回帐篷，在他身上涂满了动物的油脂，并用油毛毡为他进行了包扎，以治疗伤口、抵御寒冷。这些除了让他感觉有点难闻以外，被证明是一个非常灵验的方式。博伊斯活了下来，并恢复了健康。

当他痊愈准备回家的时候，他对鞑靼人说：“再见！”然后回到了德国，在那里成了一位世界知名的画家（虽然不是直接成为的）。在以后的生活中，这段记忆使他产生了一种想法，就是用曾经拯救了他生命的物质去创作艺术作品。他用油脂和油毛毡创作了许多雕塑作品。他给这些作品命名为像《油脂椅》、《驮包》以及《奥斯威辛圣骨箱》等。

警 告

不要把动物的油脂涂满全身，即使校方为省钱关掉了暖气阀门。衣服上的油渍是很难洗掉的……

他有时站着睡觉。因为他曾经在战争期间5次受伤，身体上布满弹痕。这也是一种非常严重的精神创伤，他可能不愿意将这些作为艺术的一部分进行展示……不像其他的一些艺术家一样……

把自己做成展览

许多艺术家被人的身体所鼓舞，他们把人体作为艺术作品的原料。

有时他们用自己的身体，有时用别人的身体……有时，他们也招来一些麻烦。

1. 美国艺术家杰西派·约翰斯（1930 — ）做了一个人体最隐私部分的模型，并在艺术展上向公众展出。这个是模型——并不是真的！1955年，他把身体这部位的复制品连接成一幅画，命名为《石膏模型的目标》。

2. 1994年一个年轻的女艺术家，脱光所有的衣服，并在身上涂满了融化的巧克力。当这些巧克力凝固的时候，她塑造了一个完美的身体模型。她把这个巧克力模型放在一所大学展出。展览期间，还有一个饥饿的参观者在雕像的肘部咬了一口。

嗯……不太坏……
但是你还有好吃的
雕像中间部位吗？

3. 1995年剑桥郡的一位艺术系女学生想要做一个男性的裸体模型。她问一位朋友是否愿意做模特，朋友答应了，女学生就用石膏从头到脚地涂满了这位朋友的身体。不幸的是，她用错了石膏的型号。她本应该用雕塑石膏，但却用了建筑工人刷房子内墙的石膏。

当她想办法剥掉石膏的时候，却发现不能成功！太结实了，那个被涂满了石膏的可怜家伙极端痛苦。

于是这个叫菲尔·布里盖德的艺术家只有抱着石膏雕像冲进了剑桥的爱登堡医院。

给那个可怜家伙吃了止痛药后，救护者用锤子和凿子打开石

膏才把他救了出来。幸运的是他还穿着袜子和短裤。

4. 法国艺术家伊夫·克莱恩（1928—1962）对如何表现裸体有些与众不同。1961年，当他的女模特们脱光了衣服时，他把她们全涂成了蓝色。当她们全都被涂满了以后，艺术家把她们按在了画布上。这听起来有点像在做土豆印章，不是吗？所不同的是他用的是裸体的女人，而不是裸体的马铃薯。显然，这些画给观众留下了深刻的印象，同时也给这些女人留下了深刻的印象。

5. 黎巴嫩艺术家莫娜·阿通姆（1952—　）认为艺术爱好者也许会喜欢有一个对她的每一个细节了解得更清楚的机会，于是她请了一些医生制作了一部她体内器官的电影……

当然不是用的普通摄像机！聪明的医生用了一架非常小的遥控摄像机来完成这项工作，这些摄像机原本是被发明用于微型外科手术的。电影完成后，莫娜太激动了，赶快放映给了泰特艺术展览的评委们，作为她参加1995年泰纳艺术大奖赛的作品。

6. 英国艺术家吉尔伯特和乔治，经常用自己做素材。他们就是人们所称的“活雕像”，只不过他们是站着而已。有时，他们如果觉得实在是精力充沛，也会移动一下。1971年，他们在纽约艺术展览馆举办了一场完全“自己的”展览。他们用凡士林和磨光用的青铜粉涂满全身，如同著名歌曲《石拱之下》中的机器人那样忽停忽动。

你从来没有想到，你也可以在自己的学校里做活雕像。这会对你的生活产生重大影响。

有时吉尔伯特和乔治也将头发和烟灰作为展览的一部分在展览馆展出。令人惊奇的是这些宝贝艺术作品并没有被扔掉——爱整洁的人们一定会把它们扫到地毯下面。在艺术世界里真的无法说清垃圾和垃圾的区别？

“查理，别管这些艺术品！我们要给展览馆打扫卫生！”

米歇尔·兰蒂制作“取暖装置 ”。如果你请他帮你安装新的煤气灶或中央取暖设备，米歇尔一定很恼怒——因为他是一名在展览馆创作“取暖装置 ”的艺术家。艺术爱好者看着这件物体一般嘴里会这样说：“这些……错了吧……艺术品……是真的，错了吧……附庸风雅而已……不是吗？”但展览馆的清洁工却这样说：“这是一堆垃圾！”然后将它们扫进垃圾桶。

当清洁工们路过米歇尔·兰蒂精彩的新作品之一时，确实发生了那样的事，没什么好奇怪的。这个“取暖装置 ”成为了装满垃圾的大箱子——清洁工们仅仅做了他们该做的事，难道不是吗？

并不是第一次发生这样的事。清洁工们扔掉一些艺术品，问

题在于他们认为那些就是垃圾，因此现在展览馆必须在一些东西上标记“艺术”或“垃圾”，这已经成为很平常的一件事。

这不就是本章开始提到的一些问题的答案吗？如果你想肯定哪些东西确实是艺术品，就去看看标签吧！

奥兰——现代艺术变脸

如果展览馆的常客认为米歇尔·兰蒂关于艺术和垃圾的想法有一些创新和别具一格的话，那么他们就会理解巴黎出生的法国艺术家奥兰（1947—　）和她的关于艺术和外科整形手术……的想法！

警告

如果你是一个容易受惊扰的人，就不要读下去了……慢慢品茶去吧！

奥兰是一位女雕塑家……但是她没有浪费时间雕琢传统的大理石和花岗岩——那是给窝囊废准备的！奥兰总在雕琢自己的脸，为了更精美，她利用外科整形手术进行整容。她想到了这个主意——和这张脸。

无论何时，一旦奥兰感到被艺术鼓舞，她就跑到好友邻居开的美容院里，对她的脸进行重新修整，以和她所喜爱的名画相符。

奥兰的整容记录——（奥兰在做尽可能的尝试！）

①

我喜欢上了一个新下巴，就是波提切利的著名油画《维纳斯》中的下巴，在手术过程中，你可以给我塑造一个蒙娜丽莎式样的新的前额，当然……

当然，夫人，就这些了吗，夫人？

②

哦，既然你在问……为了取得更好的效果，你额外为我修整一双性感的嘴唇——厚厚的、适于接吻的那种，和古斯塔夫·莫罗的油画《欧罗巴女神》的一样……并且，如果不太麻烦的话，我非常乐意调整自己的鼻子。

③

这还不是全部——如果像我说的这样做，将会是一个更明智的选择。夫人喜欢哪一种呢？山羊？母牛？犀牛？或者一对鹿角怎么样？它们看起来绝对令人大吃一惊，并且我听说在拉普兰非常流行？

④

哦，哦……挂洗过的衣服，这些角是非常有用的……可是话又说回来，我不想最终成为那种古怪的展览所展出的古怪的人，是吧？我仅仅想重新调整这个普通的鼻子而已，顺便说一句，我希望不要是太大的鹿角——我不想成为母鹿。

在奥兰的脸上很容易发现一些名画的痕迹……并且这位艺术家为自己修整出一个婴儿般可爱的小鼻子！

奥兰确信，艺术世界不会错过她的任何一个令人兴奋的手术，她在修整自己的脸时，向全世界的展览馆进行了现场直播。风趣的批评家和严肃的艺术系学生能够带着外科医生手术刀般的眼光切割奥兰的每一寸肌肤（当然是带着艺术的眼光），并且当血喷溅在手术台周围时公开展示她的血淋淋（当然是更为尖锐的艺术的眼光）。当手术正在进行的时候，他们被邀请来提出建议，下一步奥兰应该修改她的哪一部分。

如果他们能够付得起6000英镑，就可以把一盘整个过程的录像带带回家——或许他们非常喜欢看这个事件的重播，并且在适当的时刻大喊“停”！

当整个工作结束的时候，什么也没有浪费——从奥兰身上切下的每一小块肉都被收集起来，并小心地进行腌制准备卖给艺术爱好者（或者美食家）。才几千英镑一块，真是绝对便宜！

如果你足够幸运（或者足够不幸）成为像麦当娜那样的世界名人，你将不必为艺术家的小肉块花钱。麦当娜收到了奥兰的一份特殊的礼物——奥兰自己的一块腌肉，在她们一起参加了一个电视访谈节目之后。

如何从你的艺术品中发现最好的！

哦，你不能遇到比奥兰的艺术更可怕的艺术了……是吗？如果有一种办法能够衡量可怕艺术的可怕程度，那么马克·奎恩的爱好会更加恐怖。如果有一个台称，能够称出可怕艺术的可怕分量，马克·奎恩的爱好更恐怖，他的一点小事就会让秤的指针迅速旋转超过刻度！艺术在马克·奎恩的鲜血中——并且马克·奎恩的鲜血……在艺术中！马克接受了一次梅文·瓦格的电视节目采访，题目为《艺术击中了我》。让我们听听他们说了些什么！

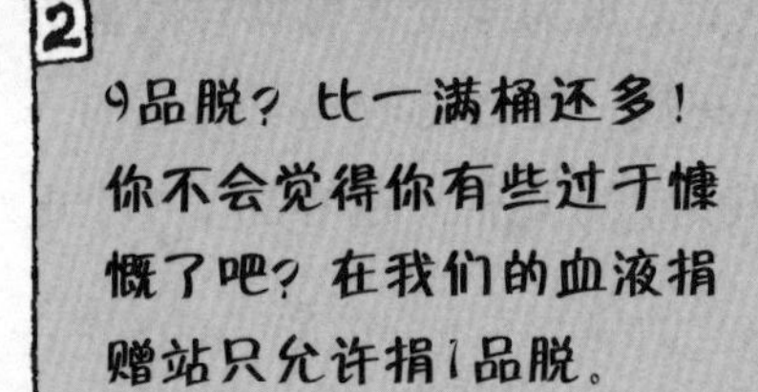
2
9品脱？比一满桶还多！你不会觉得你有些过于慷慨了吧？在我们的血液捐赠站只允许捐1品脱。

不是为了血库，梅文……那是为了我的艺术！

3
哦，是的！但9品脱差不多是一个艺术家全部的血！这个经历令你觉得虚弱或头晕了吗？
别紧张！我一次只流一点！

4
哦，我明白！你又做了什么，马克？
哦，梅文，你知道牙医的腻子吗？

5
他？哪一个牙医，马克？
我说的是牙医的腻子，梅文！就是用来做牙齿模具的可塑的黏固粉。我用了一些。

6
好的，现在我明白了。你是想为自己做一副漂亮的新牙——好主意，紧接着你又做了什么？
我将腻子整个涂满了头部，梅文！

7
你涂它……在你的头上，马克？
是的，用它做了一个我的头部模型。

8
你做个头部的模型为了什么?
当然是向里面灌我的血!你一点都不知道吗?

9
啊!为什么要这样做,马克?
为了参加一个艺术展!

10
当你做这些时,它们不会溅得到处都是吗?
哦,我首先把它们冻上了。

11
你带着一个装满了自己血的冷冻的脑袋去参加一个艺术展?
是的,我带它参加了一个艺术展。
但是……它……不会……融化吗?

12
哦,有一点往下滴,但是它被放在一个冷藏的容器内,所以我没有理由担心。
你一直带着一个冰冷的头……哦……太可怕了,我要晕了!
有气无力的

13
窝囊废!
我觉得我的血在往头部涌……哦,哦!
咚!

古怪的材料之二

既然你已经了解到一些艺术家创作时的不寻常方法，你就不难在下面“古怪的材料”这一节中，指出其中不真实的一个。这是一个如此显而易见的愚蠢之举。

1. 孵化器中的小鸡蛋。1969年，德国艺术家汉斯·哈克，把这些东西进行了展出。在进行了详尽的研究和痛苦的思索之后，他给它们起了一个鼓舞人的名字……小鸡在孵化——可能会有一个很好的收益。

2. 许多许多的钱。1994年，一位中国艺术家把他毕生收集的古钱拿到英国艺术展览馆进行展出。参观者对他的作品是如此印象深刻和激动，以至于他们拿走了其中的许多。

3. 3个电视机和一个大提琴。1971年，韩国雕刻家白南淮用3个废弃的电视机做了一个大提琴和一些琴弦。然后他请了一位著名的大提琴演奏师来演奏这个大提琴。白南淮和朋友一起做的另外一件事情就是发明了录像机。

4. 老太太、棒球帽、早餐。在1998年的爱丁堡艺术节上，表演艺术家朗·罗杰斯展出了他82岁的祖母艾维在用耐克牌棒球帽吃早餐。他作品的名字为《年纪来临》，并获得了一等奖。

（然后，他再次给他祖母颁了一次奖……由于她是一个非常好的模特。）

5. 3堆烧过的纸。这些是被知名德国艺术家赖纳·罗森贝克拿来展览的。当你知道这些雕刻有98英寸（大约2米）长时，你可能会非常感兴趣。记住这个信息，在艺术课堂的适当时刻展现它。你无疑会让老师和同学们大吃一惊，并得到他们的赏识。

6. 一头被填得胀鼓鼓的山羊和一个轮胎。这是美国艺术家罗伯特·劳申伯格展出的。滚圆的山羊被轮胎所环绕。这个作品用了4年才完成，时间似乎相当长。填满这头山羊可能花费了他很久的时间。

7. 一些面包和一些唾液。雕刻家杜姗·凯斯米克用面包混合自己的唾液做了一双小鞋（一些人认为他的作品是唾液面包堆）。

8. 露水和草。英国的查尔斯·帕桑起床非常早，为了能够拿露水成就他的杰作，他用了一个非常大的刷子（扫地的，不是画画的）去画那些在夜间降落在人家草地上的水汽中的巨大抽象图案。

答案

是第4个，但是其他的几个你都知道吗？记下来！只有一个纯粹的蠢人才会放过它们，不是吗？

漫长的冬夜，在家里做一个令人激动的、有创作性的课题

关于古怪的、令人惊奇的材料和艺术家们奇异的想象的讨论，可能会激发你想不顾一切做点属于自己的小创作。这儿有一些小课题，你或许愿意业余时间在家里试一下。一些材料可能不太好找，得到它们会费点劲。所以如果你找一个成年人来帮助你应该是一个好主意——最好是一个名人，像英国艺术家丹密恩·赫斯特。20 世纪90年代，丹密恩自称为一个原创的、充满想象力的艺术家，他的作品确实在艺术品的边缘。

你需要的东西：

你需要下列物品：一些胶带；一把剪刀（用它的时候一定要小心）；一把好使的链锯；几个塑料桶；一条致命的鲨鱼；两三个塑料垃圾袋；一只绵羊；一些毡头笔；塑料长罩衣；一副洗好

的手套；一头母牛；许多旧报纸；一些强力胶水（确信它是安全的那种）；几百加仑的防腐水；梯子；色彩鲜艳的粘纸；一双惠灵顿牌长筒靴；三个一边镶有玻璃的大箱子。哪去弄这些？什么意思？你已经改变了主意，你愿意继续用数字来画画？不要这么不争气！你是一个艺术家！

你必须要做的：

1. 锁上前门，拉上所有的窗帘。穿上长罩衣、靴子，并戴上手套。

2. 这是容易的一节（后面部分做起来将是比较难的）。用防腐水倒满大

水箱，把鲨鱼和绵羊放进去。不……不是一起放！你说什么，“绵羊不想进去”？它应该是一只死羊！你肯定知道该做什么了吧？

3. 这是主要的部分。这部分不太容易，你需要找人帮忙。你的母牛肯定没有活着，用链条锯从头到脚把它锯开……这样你会得到对称的两半……不，它们不是被用来作书靠！

别走神！对，做得很好。

在这一部分，你可能会开始意识到，如果你想成为一名艺术家，你已经变得太“敏感”和太“忧虑”了。对，确实有点乱！但是，这就是行为艺术！另外……你放了大量的报纸在起居室的地毯上面……是吗？哦！你没有！快点！不然你妈妈肯定会说些什么？！

4. 这真的需要技巧了。你已经把半个母牛放进了玻璃箱中，没有让一块掉出来。把胶带拿在手上。大量地用。好的。站稳了！——很有趣，不是吗？就像电视节目里播出的一样。你掉了什么？对……捡起来，并把它贴回原处！你说什么，你忘了它原来在什么地方了？那好，把它扔进垃圾袋里去！

5. 下面做什么？哦……什么也没有了。半头牛在难闻的防腐水中……你自己的杰作！现在你需要做的是起一个名字，用彩纸和毡头笔做一个标签。《只用了我半头母牛》或《另外一半在哪呢》怎么样？你的家人看到你已经如此聪明，肯定会说不出话来。他们甚至会保存你的创作。如果他们不想保存的话，为什么不把它送到伦敦的泰特美术馆，并送给他们呢？丹密恩就是这样做的，他们还给了他两万英镑！如果你想知道丹密恩是如何获得明星地位的……继续阅读！

动力学的丹密恩资料

▶ 1989年，在众多的艺术家中并不太出名的丹密恩·赫斯特，在一个碗柜中放了许多药瓶和药片。他命名这个碗柜为《我的道路》，并且在伦敦的新当代主义展览会上予以展示。著名的艺术收藏家查尔斯·塞特奇付了几千英镑买了这个艺术品。为什么他不去化学家那里去买——它们会更便宜一些。

▶ 1990年，丹密恩放了许多蓝色瓶子和一些腐烂的肉在一个

巨大玻璃箱子里。这些蓝色瓶子在周围飘荡，彼此认识，还有躺着的鸡蛋，这一切看起来非常有趣。然后在一个“电椅”（一种捕捉苍蝇的通电的椅子）上被损耗至完全不动。这个装置被丹密恩命名为《一千年》，著名艺术收藏家查尔斯·塞特奇花了30 000英镑买了这件艺术品。他显然得到的是一个真正的蜂鸣器！另外，丹密恩一路笑着去了银行。

▶ 1992年，丹密恩放了一只14英尺长的虎鲨（死的）在一个装满了防腐液的有机玻璃的容器里，称之为《在一些人活着的精神世界里死亡的物理可能性》（为什么不放小袋鼠？）。著名艺术收藏家查尔斯·塞特奇付给丹密恩55 000英镑买下这件艺术品。

▶ 丹密恩腌了一只羊，命名为《远离羊群》。著名艺术收藏家查尔斯·塞特奇花了25 000英镑买了这件艺术品。

▶ 1995年，丹密恩放了半头母牛在一个装满了防腐剂的盒子里，并且放了半只小牛在另一个盛满了防腐剂的盒子里。他运送这两件艺术品参加在泰特美术馆举行的“泰纳奖”艺术竞赛……得奖了。

▶ 当丹密恩拿到优胜者的奖金时，他说：“如果你能够用高水平的艺术方法和非凡的想象力以及一个链锯，做出一个低水平的作品的话，那将是令人不可思议的！”

小结

在读完这一章之后，对于什么是真正的艺术品，哪些仅仅是一个有艺术气质的魔术师的表演给公众们开的巨大的现实中的玩笑，或许你仍然有些迷惑。你或许仍然想知道好的艺术品和坏的艺术品之间的区别。好吧，为什么不去忽略标签和“艺术说明”——这些通常标明的是“新的”或“不同的”——自己去做一个判断呢。如果你确实喜欢这件艺术品或者发现一件艺术品在某方面深深触动了你，对你而言，那就是一件好的艺术品。如果你遇见一些你认为是可怕的东西，这并不意味着它不是艺术品或坏的艺术品。一些别的人或许认为它好极了，对他们而言那仍是一件好的艺术品。记住——一个人的《蒙娜丽莎》是另外一个人的——噩梦。

寻找艺术——亲自去看看这些艺术品！

杰克逊·波洛克——《第27号》——美国惠特尼艺术博物馆——纽约

纳姆·约翰·帕克——《电视中的如来佛》——荷兰阿姆斯特丹的斯德克博物馆

杰西派·约翰逊——《穿越了9的0》——1961年——伦敦泰特美术馆

罗伯特·雷森博格——《追忆往事》——1964年——美国康涅狄格州哈特福特华兹沃斯艺术博物馆

劳申伯格——《组字画》（山羊那个）——瑞典斯德哥尔摩现代艺术博物馆

后记

当史前的洞穴艺术家创作第一幅绘画的时候，他们并不知道自己正在创作艺术品。第一批艺术家可能像玩纸牌游戏……或逃避剑齿虎一样，非常自然而本能地在做这些事情。当古代文明的技术熟练的工匠们为寺庙或坟墓创造美丽而精致的装饰品时，他们也不知道正在创造艺术——只是凭着自己的才能做一些被命令去完成的工作。

既然在那个久远的年代里我们做了一些自然而然的事情——给所有这些自然的创作活动起一个名字是非常必要的——我们称它为艺术。因此，现在我们所有的人都确切地知道我们在谈论什么，它非常简明和易懂……不是吗？哦……或许不是。艺术两个字相对于一个极大的题目而言是一个非常小的名称——它太大了，以致不可能全部被放进一本书里——这就是为什么我们这本书主要集中在欧洲艺术的几个领域里……并且如此的不够尊重，忽略了世界的其他地方（对不起，世界的其他地方——不是故意冒犯）。

不管艺术发生在哪里，你都可以肯定它对一些与众不同的人来说意味着与众不同的事情。一些人想让他们的艺术充满挑战、令人厌烦和不安，以提醒我们对周围世界的一些乏味的或谨慎的想法进行反思。

另外一些人认为艺术是非常迷人的、亲切的和令人温暖的——以至令他们觉得周围世界是令人赞美的和舒适的。

感谢上帝，不是所有的艺术家都同样认为艺术应该是什么样的。如果他们这样做了，一切都将变得可怕的相似和真正的令人不安，不是吗？

对约瑟夫·博伊斯而言，艺术仅仅是一些惹人讨厌的想法或主意，表达一系列的行为或一些物体的安排，目的是让人们突然站起来并注意到世界上的古怪事物。亨瑞·马特斯宁愿人们坐着慢慢欣赏周围世界的形状、样式和色彩。他画一些色彩鲜艳的、可爱的和令人愉悦的绘画，并且说："艺术应该像一把舒适的摇椅。"他或许一直没有见过博伊斯的《油脂椅》，那一点都不令人轻松！所以，艺术会不会就是你认为什么样，它就是什么样的呢？

▶ 对你而言，艺术或许就是现在你一直逃避的一些东西（读完这本书后还这样想吗？），后来……艺术或许就是给你的业余生活带来满足和乐趣的东西。

▶ 对于你的老师而言，艺术也许仅仅是"不会和别的科目一样重要的"学校课程，它总是被拖到星期五下午才得以被最终完成（但是希望不会再这样！）。

▶ 对于喜爱卡尔·安德、马克·奎恩和奥兰的人而言，艺术就相当于一堆墙砖或一个装满了冰冻血液的脑袋。

▶ 如果你是维米尔的欣赏者，艺术也许就是当光从玻璃窗照射进来时，17世纪的女人正在演奏乐器的油画，那上面可以分辨出女人富丽堂皇的晚礼服上每一个可爱细节。

▶ 一些像文森特·凡·高、蒙娜·阿通姆、斯坦利·斯宾塞等其他的艺术家（或许也包括你），艺术仅仅意味着一种生活方式——那是进入他们脑袋硬盘的一些程序——是他们情不自禁要去做的一些事情——这或许偶尔会给他们带来一点副产品……或是别人的批评……或是名利双收。